DE DRIE GOUDEN AAPJES

Andere boeken in deze reeks

De Dappere Meidenclub
Bananenijs en zoenende zeehonden

ALYZE BOS

DE DRIE GOUDEN AAPJES

MET ILLUSTRATIES VAN PETRA BAAN

Clavis

Voor J. en N.

Alyze Bos
De drie gouden aapjes
© 2008 Clavis Uitgeverij, Hasselt – Amsterdam
Omslag en illustraties: Petra Baan
Trefw.: moord, mysterie, speurtocht, spanning
NUR 282
ISBN 978 90 448 0983 1
D/2008/4124/134

www.clavisbooks.com
www.petrabaan.nl

Dit boek is gedrukt op papier met een certificaat
van de Forest Stewardship Council,
die verantwoord bosbeheer stimuleert.

Mixed Sources
Productgroep uit goed beheerde bossen
en andere gecontroleerde bronnen
www.fsc.org   Cert no. SCS-COC-001256
© 1996 Forest Stewardship Council

Jarig

Het is al laat in de middag als Mus haar slaapkamerraam opendoet en naar buiten klimt. Ze houdt zich vast aan het raamkozijn terwijl ze met een oplettende blik in de dakgoot tuurt. De goot is breed en heeft een houten lijst.

Een voor een zet Mus haar smalle voeten erin. Het past precies. Haar hart bonst in haar keel als ze langzaam rechtop gaat staan.

'Niet naar beneden kijken,' fluistert ze tegen zichzelf, 'en mijn armen uitsteken, dan blijf ik in evenwicht. Dan kan er niks misgaan.' Ze tilt haar armen op en doet voorzichtig een stapje naar voren. De goot kraakt.

'Nu niet opgeven. Als dit me lukt, kan ik koorddanseres in een circus worden. Dan ga ik hier weg en reis ik de hele wereld rond. Amerika, Afrika en China. Niemand zal me missen.'

Mus haalt diep adem en zet nog een stap naar voren. De goot zwijgt.

'Amerika, Afrika en China,' herhaalt ze om zichzelf moed in te spreken. Ze bijt op het puntje van haar tong en loopt voetje voor voetje door de dakgoot. Aan het eind maakt ze een kleine buiging, waardoor haar lange bruine haren voor haar gezicht vallen. Ze stopt ze zoals altijd weer achter haar oren, daarna draait ze zich om en loopt dezelfde weg terug. Haar wangen gloeien van opwinding.

'Ik kan het!' roept ze blij. Als ik genoeg oefen, besluit Mus, durf ik ook op een koord en kan ik mee met het circus. Dan kom ik hier nooit meer terug. Ze loopt nog een paar keer heen en weer en gaat dan tevreden op het dak zitten.

Mus woont niet in een gewoon huis, maar in een restaurant. Het restaurant heet De Oase en ligt aan de rand van het dorp. Het is een opvallend wit gebouw met twee verdiepingen. Het is het enige restaurant in de buurt, dus het is er altijd druk.

Beneden zijn de keuken en de eetzaal en boven woont Mus met haar moeder en haar opa en oma. Haar vader heeft ze nooit gekend. Hij is gestorven voor ze werd geboren en het enige dat ze van hem heeft, is een foto. Een lachende man met een trompet. Mama heeft haar verteld dat hij in een band speelde en dat hij op weg naar een optreden verongelukt is. Mama praat niet graag over hem.

Sinds kort woont er nog iemand bij hen. Freddy. Op een doordeweekse dag liep hij De Oase binnen en vroeg hij om werk. Mama heeft hem meteen aangenomen. Dat komt door zijn ogen, weet Mus. Freddy heeft de blauwste ogen van de hele wereld en ze glinsteren altijd.

Terwijl ze op het dak zit en voor zich uit staart, bedenkt Mus dat ze nog nooit ergens anders heeft gewoond. Ze is hier geboren. Vandaag precies tien jaar geleden. Ergens tussen de soep en het toetje, heeft mama haar gezegd.

Ik ben jarig, maar niemand heeft me gefeliciteerd, denkt Mus somber. Niemand heeft me een cadeautje gegeven. Ze zijn het allemaal vergeten. Mama heeft het zo druk met het restaurant dat ze me straks misschien wel helemaal vergeet. Dat ze vergeet dat ik besta. Als ik als koorddanseres met een circus meega, zal ze het niet eens merken.

Mus zucht diep. Oma is mijn verjaardag ook vergeten, maar die vergeet de laatste tijd wel meer. Daar kan zij ook niks aan doen. En opa … Opa is op jacht. Hij schiet liever op hazen en fazanten dan mijn verjaardag te vieren. Gelukkig zit deze dag er bijna op.

Een paar auto's komen luid toeterend de parkeerplaats op rijden. Nieuwsgierig klimt Mus hoger het dak op, zodat ze de parkeerplaats kan zien.

Het zijn de jagers. Vrolijk pratend stappen de mannen uit hun auto's. Ze hebben allemaal groene jassen aan en opa draagt een hoed met een veer. Zijn jas zit strak om zijn dikke buik. Hij loopt naar de kofferbak van de auto en doet hem open. De andere jagers komen om hem heen staan. Er ligt een grote grijns op zijn gezicht als hij een dode haas uit de kofferbak haalt en omhooghoudt.

Zo te zien heeft hij wel een leuke dag gehad, denkt Mus. Opa loopt met de haas naar de schuur. Mus weet precies wat hij ermee gaat doen. Hij hangt hem op aan een spijker en straks na het eten slacht hij het beest. Dan steekt hij een mes in de buik van het dier, haalt de ingewanden eruit en stroopt het velletje eraf.

Brrr! Mus rilt. Ze heeft het opa vaak genoeg zien doen, maar kan er nog steeds niet aan wennen. De andere jagers lopen druk pratend over het grindpad naar de eetzaal. Het grind knarst onder hun laarzen.

Mus voelt haar maag knorren als ze de geur van verse kippensoep ruikt. Mmm. Voorzichtig loopt ze terug naar haar slaapkamerraam en klimt naar binnen. In haar kamer is de geur van de soep nog sterker. Hij dringt tot diep in haar neus.

'Heerlijk,' mompelt Mus, terwijl ze de geur van de kippensoep opsnuift. Oma maakt de lekkerste kippensoep van de hele wereld. Ze opent de deur van haar slaapkamer en volgt de geur van de soep de trap af.

Beneden loopt ze door de hal naar de keuken. Op het fornuis staan twee grote pannen met kippensoep te pruttelen. Mama staat bij het aanrecht en snijdt brood. Oma en Maria, de serveerster, lopen met volle borden soep naar de eetzaal. Iedereen is zo druk bezig dat ze niet merken dat Mus binnenkomt. Mus pakt een bord van de stapel en schept het vol soep. Ze gaat aan de keukentafel zitten en neemt een stuk brood uit een van de mandjes die haar moeder voor de gasten aan het vullen is.

De haldeur gaat open. Mus kijkt op. Opa komt met zijn modderige laarzen de keuken in en loopt recht op haar af. Haar hart maakt een sprongetje van blijdschap. Hij is het toch niet vergeten. Ze legt haar lepel neer en kijkt hem verwachtingsvol aan. Opa geeft haar een knipoog en buigt zich over de keukentafel om een stuk brood te pakken.

Teleurgesteld kijkt Mus naar haar bord. Een traan welt op

in haar ooghoek en loopt langzaam over haar wang naar beneden. Even blijft hij aan haar kin hangen, dan lekt hij in haar soep. Niemand die het ziet.

De klapdeuren naar de eetzaal zwaaien open en Maria roept: 'Vier kippensoep, drie jenever en één bier!'

'Waar is Freddy eigenlijk?' vraagt mama. 'Het is hartstikke druk! Hij moet je helpen, Maria!'

Maria haalt haar schouders op. Mama slaakt een diepe zucht en perst haar roodgestifte lippen stijf op elkaar. Ze draait zich met een ruk om en loopt naar de haldeur. Haar hoge hakken tikken venijnig op de tegelvloer.

'Freddy!' gilt ze, terwijl ze in de hal verdwijnt.

'Ik help wel even met de drankjes,' bromt opa. Hij sloft achter Maria aan naar de eetzaal, een spoor van modder achterlatend op de tegelvloer.

Mus staart naar haar bord soep. Met een zucht schuift ze het van zich af en staat op van tafel. Misschien kan ze beter gaan slapen, dan is deze dag tenminste voorbij. Wat een rotdag …

Maria komt met een grote stapel vuile borden uit de eetzaal. 'Mus, wil jij me even helpen, alsjeblieft? Breng jij nog een paar mandjes brood naar de stamtafel? Ik kom echt handen tekort.'

Mama vindt Maria slordig en zegt dat ze te veel kletst, maar Mus mag haar graag. Maria is jong en heeft een warrige bos zwart haar, dic vrolijk om haar gezicht danst.

Ze weet vast niet dat ik vandaag jarig ben, denkt Mus, anders zou ze mij zeker feliciteren. 'Ik help wel even,' zegt Mus dan.

'Hartstikke fijn!' Maria kijkt haar lachend aan.

Mus neemt een paar mandjes met brood en loopt door de klapdeuren naar de eetzaal.

2 Kippenvel

De eetzaal is een hoge ruimte met veel ramen. Aan de muur
hangen hertengeweien en op een brede plank staat opa's ver-
zameling opgezette dieren: een fazant, een patrijs, een bunzing
en een vos. Opa heeft ze allemaal zelf geschoten.

Het is zaterdagavond en Mus ziet dat alle tafeltjes bezet zijn.
De jagers zitten aan de grote tafel in het midden, de stamtafel.
Opa heeft hun glazen volgeschonken en ze proosten met elkaar
op een goed jachtseizoen. Mus loopt naar hen toe.

Jaap en Joop Vonk, de eigenaren van de enige bakkerij in het
dorp, zitten naast elkaar. Mus heeft moeite om de tweeling-
broers uit elkaar te houden. Ze hebben allebei een dikke buik,
een grote snor en strak achterovergekamd grijs haar. Het enige
verschil is dat Jaap graag praat en Joop liever zijn mond houdt.

Tussen hen ingeklemd zit Johannes Weekhout van de huishoudwinkel. Een magere, zenuwachtige man. Hij is de vader van
Mia, die bij Mus in de klas zit. Mia is net als Mus enig kind, maar
ze wordt vreselijk verwend door haar vader en moeder. Mus
kan haar niet uitstaan.

Aan de andere kant van de tafel zit Marius Veldkamp, de
dorpsslager. Veldkamp is een kleine, stevige man met stekeltjes-
haar en een slecht gebit. Mus zet de mandjes brood voor hem
op tafel.

'Ah, daar hebben we de kleine Fonteijn!' zegt Veldkamp lachend. 'Alles goed, meissie?'

'Prima,' liegt Mus. Ze draait zich snel om, zodat ze niet naar zijn lelijke tanden hoeft te kijken.

'Hoi Mus!' Mus kijkt om zich heen. Het is Rick. Rick Groeneveld. Hij zit met zijn vader aan een tafeltje bij het raam en zwaait naar haar. Rick heeft golvend blond haar. Het valt tot vlak boven zijn ogen. Chocoladebruine ogen.

Mus bloost en zwaait verlegen terug. Ze moet altijd blozen als ze Rick ziet. Gelukkig merkt hij er niets van. Rick let niet zo op meisjes. Hij voetbalt liever. Mus aarzelt of ze naar hem toe zal lopen.

'Ga opzij, Mus!' Freddy komt recht op haar af met een dienblad vol hete soep in zijn handen.

Mus stapt snel aan de kant en loopt langzaam tussen de tafeltjes door, terug naar de keuken. Bij de klapdeuren blijft ze staan en kijkt nog even naar Rick. Hij is druk met zijn vader in gesprek. Mus zucht. Ze hebben het vast over voetbal en hij is allang weer vergeten dat hij mij heeft gezien. Ze haalt haar schouders op en draait zich om.

Ik neem nog een ijsje en dan ga ik naar bed, besluit Mus. Ze loopt de keuken in en kijkt in de koelkast, maar er staan geen ijsjes. Alleen maar pudding, en dat lust ze niet. Maar dan herinnert ze zich dat er nog ijsjes in de vriezer in de kelder liggen. Snel sluit ze de koelkast en loopt naar de hal.

Er is niemand. Een lange plantenbak vol vingerplanten schermt een hoekje af van de rest van de hal. Dat is mama's kantoor. Er staat een dossierkast en een bureau. De schuifdeuren naar de eetzaal zijn dicht. Mus loopt naar de kelderdeur en duwt de deurklink omlaag.

Op slot? Wat raar! denkt Mus. Wie doet nou de kelderdeur

op slot? Ze loopt naar mama's bureau en trekt de bovenste la open. Daar ligt een bakje met sleutels. Aan elke sleutel hangt een kaartje. *Kelderdeur*, leest Mus. Het is de eerste sleutel die ze pakt. Ze glimlacht tevreden en schuift met haar knie de la weer dicht.

Het slot van de kelderdeur draait met een heldere klik open. Mus knipt het licht aan en loopt de trap af. Ze krijgt kippenvel op haar armen. In de kelder is het altijd koud en schemerig. Zelfs met het licht aan. Er zijn geen ramen, alleen een luik. Langs de muren staan kratten bier en frisdrank gestapeld. In metalen rekken liggen de voorraden voor het restaurant.

'Bah. Het stinkt hier,' mompelt Mus. 'Er ligt vast ergens een dode muis.' Ze knijpt haar neus dicht. Opa heeft overal muizenvallen gezet, maar de meeste muizen lopen er gewoon omheen. Ze knagen gaatjes in de zakken en snoepen van de bloem en de suiker.

De vriezer staat vlak bij de trap. Het deksel is zwaar en Mus heeft haar beide handen nodig om het omhoog te tillen. Terwijl ze dat doet, voelt ze iets kouds tegen haar buik slaan. Ze kijkt omlaag en slaakt een ijselijke gil.

Daar, uit de vriezer, steekt een hand. Een hand met een arm eraan. Hij steekt als een stok naar voren en zijn ijskoude vingers prikken in haar buik. Verlamd van schrik blijft ze staan. Een ijzige kou verspreidt zich door haar hele lichaam en ze moet naar adem snakken.

Slechts met grote moeite lukt het haar een stap achteruit te doen. Trillend van angst kijkt ze in de vriezer. Er ligt een man in. Een man met een spijkerbroek en een zwart leren jack. Hij draagt motorlaarzen en zijn gezicht is weggezakt in een doos waterijsjes. Zijn ene arm steekt uit de vriezer, de andere ligt on-

der zijn lichaam. Er kleeft bloed in zijn gitzwarte haar en Mus
ziet bloedsporen in zijn nek. Ze kreunt. Ergens heel ver weg
hoort ze haar moeder roepen.

'Mus! Mus! Waarom gil je zo?'

Mus wil wel antwoorden, maar ze kan niet. Ze kan haar
mond niet bewegen, kan niets meer bewegen. Bevroren staart
ze naar de man in de vriezer. De rest van de kelder lijkt verdwenen in een grijze mist. Slechts flarden geluid dringen tot haar
door. Ze hoort haar naam roepen, steeds opnieuw haar naam
roepen. Ze hoort iemand de trap af rennen. Een schaduw komt
uit de mist tevoorschijn en gaat naast haar staan. Het is slager
Veldkamp. Ze hoort hem zachtjes vloeken. Hij buigt zich over
de man in de vriezer en duwt twee vingers tegen zijn hals. Mus
houdt haar adem in.

'Die man is dood,' zegt Veldkamp rustig.

Mus staart naar zijn vingers. Bloed, denkt ze. Er zit opge-
droogd bloed aan zijn vingers. Ze begint te klappertanden.

'Bel de politie en haal dat kind hier weg,' roept Veldkamp
naar boven. 'Haal onmiddellijk dat kind hier weg.'

3   Inspecteur Hardeman

Mus kijkt door het keukenraam naar buiten. Het is al donker. De struiken voor het raam trillen in het blauwe knipperlicht van de ambulance. Ze heeft het nog steeds koud. Oma heeft een vest om haar heen geslagen, maar het helpt niet. Ze neemt een slokje van de beker warme melk, die oma voor haar heeft neergezet.

Inspecteur Hardeman zit tegenover haar aan de keukentafel en eet een bordje soep.

'Mevrouw, ik heb nog nooit zo'n lekkere kippensoep gegeten,' zegt hij tegen oma. De inspecteur is een grote man met kortgeknipt, peper-en-zoutkleurig haar. Zijn hoofd, zijn oren, zijn neus, zijn mond, zijn handen, zelfs zijn buik is groot, denkt Mus.

'Dus jij had zin in een ijsje?' vraagt Hardeman vriendelijk.

Mus knikt. 'Daarom ging ik naar de kelder. In de keuken stond alleen maar pudding. Ik haat pudding.'

Hardeman kijkt haar verrast aan. 'Is dat zo? Ik vind pudding juist erg lekker.'

'Wilt u zo een puddinkje toe?' vraagt oma. 'Door die hele toestand van vanavond is er nog veel pudding over.'

'Dat sla ik niet af, mevrouw!' Hardeman wrijft tevreden in zijn handen, dan kijkt hij weer naar Mus. 'Is je misschien iets opgevallen in de kelder? Iets ongewoons?'

'Iets ongewoons?' herhaalt Mus.

Hardeman knikt.

Mus denkt na. Ze ziet de dode man weer voor zich. Zijn koude hand die haar buik aanraakt. Het bloed dat in zijn haar plakt. De rillingen lopen over haar rug.

'Het kan iets heel eenvoudigs zijn,' zegt Hardeman. 'Was er iets verplaatst? Was het licht aan?'

Mus kijkt de man aan. Hij heeft vriendelijke, bruine ogen en ze ziet dat hij haar probeert te helpen. 'Wacht eens ...' zegt ze peinzend. 'Er was toch iets ongewoons. De deur zat op slot. Dat is anders nooit zo.'

'Hmm!' zegt Hardeman. 'Maar als de deur op slot zat, hoe ben jij dan binnengekomen?' Er verschijnen pretlichtjes in zijn ogen.

Mus bloost. Ze kijkt even opzij naar oma, die helemaal niet oplet. Ze is druk bezig pudding in een kommetje te scheppen.

'Ik weet dat mama een bakje met sleutels in haar bureau bewaart,' fluistert Mus.

'Het bureau in de hal?' vraagt Hardeman.

Mus knikt.

'Kon je de sleutel gemakkelijk vinden?'

'Ja,' antwoordt Mus. 'Hij lag bovenaan.'

'Is je verder nog iets opgevallen?'

Mus denkt na. 'Eh ... nee. Verder niets.'

Oma zet het puddinkje voor Hardeman op tafel. Hij neemt een hap en sluit even zijn ogen. 'Heerlijk!' mompelt hij.

Net op dat moment gaat de deur naar de hal open en er verschijnt een agent. 'Inspecteur, de mensen vragen of ze naar huis mogen.'

'Hebben jullie alle namen en adressen genoteerd?' De agent

knikt. 'Stuur ze dan maar naar huis.' De agent verdwijnt weer in de hal en Hardeman eet rustig zijn toetje op.

Mus moet glimlachen als hij met zijn lepel het laatste restje pudding zorgvuldig uit het kommetje schraapt. 'Inspecteur?' vraagt ze zachtjes. 'Heeft u al enig idee hoe die man bij ons in de vriezer is gekomen?'

Hardeman kijkt op. 'Nee, ik heb nog geen idee. Ik weet op dit moment niet eens wie die man is. Ik kan wel wat hulp gebruiken. Van jou bijvoorbeeld. Heb jij al een idee?'

'Ik?' vraagt Mus verbaasd.

'Ja, jij,' dringt Hardeman aan.

'Ik … eh … ik heb er wel al over nagedacht …' antwoordt Mus verlegen. 'Volgens mij komt de man niet uit het dorp. Ik kon zijn gezicht natuurlijk niet goed zien, maar hij komt me niet bekend voor.'

Hardeman kijkt haar geïnteresseerd aan. 'Jij denkt dus dat het een vreemdeling is? Iemand van buiten het dorp?'

Mus knikt. 'Alleen snap ik niet wat hij bij ons in de vriezer doet. Als ik iemand zou vermoorden, zou ik hem niet hier in de vriezer leggen, dan wordt hij meteen ontdekt …' Mus zwijgt abrupt en kijkt naar Hardeman. Zijn bruine ogen kruisen de hare. 'Hij is toch vermoord, hè?' vraagt ze zachtjes. Als Hardeman knikt, fronst Mus haar wenkbrauwen. 'Maar wie heeft het gedaan? Wie doet nou zoiets? En waarom?'

'Ach, mensen vermoorden andere mensen om de gekste redenen. Je zou raar opkijken als je wist wat ik allemaal meemaak.' De inspecteur pakt zijn servet en veegt zijn mond af.

'Denkt u … denkt u … dat de moordenaar hier in huis woont?' fluistert Mus.

Hardeman haalt zijn schouders op. 'Op dit moment denk ik niet zoveel. Ik kijk, ik luister en ga mijn neus achterna. Misdaad kun je namelijk ruiken.'

'Is dat zo?' Mus kijkt hem zo verwonderd aan dat hij moet lachen.

'Ja, daar kijk je van op, hè?' Hardeman kijkt op zijn horloge. 'Misschien moet jij vandaag ook maar eens stoppen met denken. Het is al laat. Als je wilt, kan ik morgen iemand sturen om met je te praten. Bij de politie werken speciale mensen die ...'

'Nee, inspecteur,' onderbreekt Mus hem. 'Dat wil ik liever niet.'

Hardeman haalt zijn schouders op. 'Je moet het zelf weten, Mus. Als je je nog bedenkt, hoor ik het wel. Je moeder heeft mijn kaartje met mijn telefoonnummer. Jullie kunnen me altijd bellen.'

Hardeman staat op en bedankt oma voor het toetje. 'Welterusten, Mus. Pas goed op jezelf.'

'Welterusten, inspecteur.'

Hardeman geeft haar een knipoog en loopt de hal in.

Mus neemt nog een slokje van haar beker warme melk. Zou je misdaad echt kunnen ruiken? vraagt ze zich af. Er zit in ieder geval een vreemd luchtje aan deze zaak. Wie legt nou een dode man bij ons in de vriezer? Dat is raar. Heel raar. Mus zucht.

Oma kijkt haar bezorgd aan. 'Gaat het meisje?'

'Ja, het gaat wel,' mompelt ze afwezig.

'Die inspecteur is een aardige man,' zegt oma.

Mus knikt. Ze drinkt haar beker melk leeg en staat op. 'Oma, ik denk dat ik maar naar boven ga. Ik ben hartstikke moe.'

'Ik loop even met je mee.'

'Nee, dat hoeft niet, hoor,' zegt Mus.

Oma komt naar haar toe en drukt haar stijf tegen zich aan. Mus ruikt de geur van kippensoep vermengd met eau de cologne.

'Arm kind,' fluistert oma. 'Arm kind ...' Oma's gezicht lijkt rimpeliger dan anders. Een paar slierten grijs haar zijn uit haar knotje losgeraakt en hangen treurig langs haar gezicht.

Mus ziet dat er tranen in haar ogen blinken. Nu moet ze niet gaan huilen, denkt Mus. Nu moet ze echt niet gaan huilen, daar kan ik niet tegen. Mus bijt op haar lip en maakt zich los uit de omhelzing. 'Welterusten, oma,' zegt ze vlug. Dan loopt ze snel naar de haldeur terwijl oma haar hoofdschuddend nakijkt.

De hal is fel verlicht en er lopen mannen in witte pakken rond. Ze dragen handschoenen en verzamelen vingerafdrukken. Alle deuren zitten onder een laagje wit poeder. Mama staat bij de plantenbak. Mus hoort haar zachtjes snikken. Freddy heeft zijn armen om haar heen geslagen. Mus aarzelt even, maar loopt toch door naar de trap en gaat naar boven.

4   Een onrustige nacht

Wat een verschrikkelijke dag. Dit was de ergste verjaardag van mijn hele leven, zucht Mus als ze even later in bed ligt.

Ze draait onrustig heen en weer onder haar dekbed. Er loopt hier ergens een moordenaar rond, schiet het de hele tijd door haar hoofd. Misschien loopt hij nu wel door het dorp, op zoek naar een nieuw slachtoffer. Iemand die aan de kant van de weg staat met autopech. Of iemand die zijn hondje uitlaat. Ze rilt en kruipt dieper onder haar dekbed.

Ik moet stoppen met denken, anders kan ik niet slapen. De inspecteur heeft gelijk. Ik moet proberen nergens meer aan te denken. Mus gaat op haar rug liggen en luistert naar de geluiden in haar kamer. Het tikken van de verwarming. Het zachte zoemen van de wekkerradio. Ze staart in het donker naar het plafond en voelt haar oogleden langzaam zwaar worden tot ze in slaap valt.

Mus droomt dat ze over een koord loopt boven een enorme ijsvlakte. Lange, slangachtige armen steken uit het ijs omhoog en proberen haar vast te grijpen. Mus voelt een paar ijskoude vingers over haar lichaam glijden. Ze grijpen haar vast en trekken haar mee onder het ijs.

'NEE!' gilt ze doodsbang. Ze schrikt wakker en gaat rechtop in bed zitten. Haar rug is nat van het zweet. De verlichte wijzers van de wekkerradio wijzen drie uur aan. Met trillende vingers zoekt ze naar de lichtknop en knipt het licht aan.

'Mus! Mus, wat is er?' Mama staat in haar pyjama in de deuropening. Haar haar zit in de war en ze kijkt Mus verschrikt aan.

'Ik heb gedroomd,' stamelt Mus. 'Een nachtmerrie ...'

Mama gaat naast haar op het bed zitten. 'Liefje, je bent nat van het zweet!' Bezorgd strijkt ze de natte haren uit Mus haar gezicht.

Mus rilt. Ze heeft het koud. Mama slaat haar armen om haar heen en Mus kruipt zo dicht mogelijk tegen haar aan. Het is zo'n heerlijk, veilig gevoel. Mus wil dat het nooit meer ophoudt.

'Wil je me vertellen wat je hebt gedroomd?' vraagt mama.

Mus denkt aan de slangachtige armen die haar onder het ijs trokken en kreunt van afschuw. 'Nee,' antwoordt ze met een piepstemmetje. 'Liever niet. Ik wil er niet meer aan denken.' Ze drukt zich nog steviger tegen mama aan, die haar zachtjes heen en weer wiegt.

'Rustig maar, lieverd. Alles is goed. Ik ben bij je. Wil je een glaasje water?' Mus knikt en mama laat haar los en loopt naar de wastafel. Mus kijkt naar haar terwijl ze een glaasje water inschenkt. Ze heeft hetzelfde steile, bruine haar als Mus.

Mama loopt met het volle glas naar haar toe. Mus neemt voorzichtig een slokje. 'Lekker,' zegt ze zachtjes.

Mama glimlacht en gaat weer naast Mus op het bed zitten. 'We zijn allemaal erg geschrokken. Als je erover wilt praten, moet je het me zeggen, oké?'

Mus knikt. Ze zet het glaasje water op haar nachtkastje en kijkt mama aan. 'Je bent mijn verjaardag vergeten,' zegt ze. 'Ik was gisteren jarig.' Mus voelt de tranen achter haar ogen prikken en haar lip begint te trillen.

'Dat meen je niet,' zegt mama geschrokken. 'Je hebt gelijk. Gisteren was het 21 oktober. O, lieverd. Wat erg! Het spijt me zo! Hoe kon ik dat nou vergeten ...'

'Jij hebt het altijd zo druk,' snikt Mus. 'Je hebt nooit tijd voor me.'

'Ik weet het, lieverd. Ik weet het,' fluistert mama. Ze slaat een arm om Mus heen. 'Het spijt me verschrikkelijk dat ik je verjaardag ben vergeten. Echt waar.'

Mama ziet er zo ongelukkig uit dat Mus medelijden met haar krijgt. Ze veegt haar tranen weg met de mouw van haar nachtpon.

'Het valt niet mee, hè?' zucht mama. 'Het is voor ons allebei zwaar. Een restaurant is nu eenmaal veel werk. Gelukkig hebben we opa en oma. En Freddy.'

'Ga je met Freddy trouwen?' vraagt Mus.

Mama kijkt haar verbaasd aan. 'Eh … nou … eh … Hoe kom je daar nou bij?' vraagt ze blozend.

Mus haalt haar schouders op. 'Hij heeft mooie ogen.'

Mama moet lachen. 'Ja, dat vind ik ook. Hij ziet er leuk uit.'

'Net zo leuk als papa?' vraagt Mus.

'Nou moet je ophouden, Mus!' roept mama. 'Daar wil ik het niet over hebben. Ik heb wel belangrijker dingen aan mijn hoofd. Bijvoorbeeld wat voor cadeautje ik voor jou moet kopen.'

'Ik wil graag een nieuwe fiets,' zegt Mus.

'Hmm! Een nieuwe fiets. Ik zal erover nadenken. Ben je niet meer boos op me?'

Mus schudt haar hoofd.

'Gelukkig,' zucht mama. 'Laten we dan nog maar wat proberen te slapen. Het is midden in de nacht.' Mama staat op, trekt het dekbed over Mus heen en geeft haar een zoen. 'Ik hou van je, Mus,' zegt ze zachtjes. 'Heel veel, vergeet dat nooit.'

Mus knikt.

'Laat het licht maar aan. Als er iets is, kun je me altijd roepen.' Mama loopt de kamer uit en laat de deur op een kier.

Mus luistert naar haar voetstappen die verdwijnen in de gang. Later, als ik in het circus werk, komt ze wel naar me kijken, denkt Mus. Wat zal ze trots zijn als ze me over het koord ziet lopen. Dan draait ze zich tevreden op haar zij en probeert te slapen. Maar hoe ze ook haar best doet, het lukt haar niet. Alle gebeurtenissen van de dag blijven door haar hoofd malen. Als een draaimolen die niet wil stoppen.

Ik heb frisse lucht nodig, besluit Mus na een tijdje. Ze gooit het dekbed van zich af en loopt naar haar slaapkamerraam.

Ze zet het wijd open en klimt naar buiten. Een zacht briesje strijkt langs haar gezicht. Mus klimt een stukje naar boven en gaat op het dak zitten. Ze kijkt om zich heen. Het blauwe licht van de maan schijnt op de schuur en de appelboom in de tuin. De bladeren van de boom ruisen in de wind en maken een aangenaam geluid. Mus zuigt de frisse buitenlucht diep in haar longen en sluit haar ogen.

Tot ze ineens het grind hoort knarsen. Verschrikt kijkt ze naar beneden. In het donker ziet ze een figuur over het grindpad naar de schuur lopen. Haar hart begint sneller te kloppen. Wie loopt er nou midden in de nacht naar de schuur?

Als het licht in de schuur aangaat, ziet Mus dat opa in de deuropening staat. Wat vreemd! Hij gaat toch niet midden in de nacht een haas slachten?

Nieuwsgierig loopt ze naar de rand van het dak waar de regenpijp zit. Die is met grote klemmen vastgemaakt aan de muur. Mus is vaak genoeg langs de pijp omhooggeklommen om haar bal van het dak te halen. Maar dat was altijd overdag. In het donker is het een stuk moeilijker, omdat je de klemmen niet goed kunt zien.

Ze bukt zich en pakt de bovenkant van de regenpijp vast. Langzaam laat ze één been langs de pijp naar beneden zakken. Haar voet zoekt in het donker naar een klem. Voorzichtig zet ze hem erop en daarna laat ze haar andere been naar beneden zakken. Zo gaat ze omlaag, tot ze met beide voeten op de grond staat.

Het licht in de schuur brandt nog steeds. Mus loopt over het grindpad naar het gebouw en gluurt door het raampje naar binnen. De haas hangt nog steeds aan de spijker. Hij heeft zijn velletje nog aan. Opa is dus geen haas aan het slachten, maar wat doet hij dan wel?

Op haar tenen gaat Mus voor het raam staan. Opa zit op zijn knieën op de vloer. Ze ziet alleen zijn grijze haardos heen en weer bewegen. De kokosmat, die normaal voor de werkbank op de vloer ligt, ligt er nu bovenop.

Wat doet hij toch? vraagt Mus zich af. En dan is opa verdwenen. Hoe kan dat nou? Hij is niet opgestaan. Misschien is hij ergens naartoe gekropen … Ze kijkt naar links en naar rechts, maar ziet opa nergens. Mus begrijpt er niets van. Iemand kan toch niet zomaar verdwijnen?

Precies op dat moment beweegt er iets in de schuur. Als een duvel uit een doosje komt opa omhoog, met zijn haar vol spinnenwebben. Mus schrikt en houdt haar adem in. Ze durft zich niet te bewegen. Opa buigt zich over de werkbank en pakt de kokosmat. Hij legt hem weer op de vloer en loopt naar de deur.

Mus hoort de schuurdeur opengaan en duikt snel omlaag. Het licht in de schuur gaat uit en opa komt naar buiten. Mus hoort hem een paar keer flink hoesten. Ze blijft doodstil zitten tot het grind weer begint te knarsen. Pas dan haalt ze opgelucht adem. Hij loopt terug naar het huis en heeft haar niet gezien.

Mus kijkt voorzichtig om de hoek van de schuur en ziet opa door de voordeur naar binnen gaan. Hij draait de grote, glazen deur achter zich op slot. Ze wacht tot het licht in de hal uitgaat, dan loopt ze over het grindpad naar het huis en klimt langs de regenpijp omhoog. Even later stapt ze in bed.

Wat zou opa in de schuur hebben uitgespookt? Mus kruipt dieper onder haar dekbed en rolt zich lekker op. De warmte maakt haar slaperig. Veel te slaperig om nog lang over opa na te denken. Veel te slaperig om waar dan ook over na te denken. Ze draait zich op haar zij en doet haar ogen dicht. Meteen valt ze in een diepe, droomloze slaap.

Als Mus de volgende ochtend naar beneden komt, is Maria de hal aan het dweilen. Freddy en oma zitten aan de keukentafel te ontbijten. Freddy zit voorovergebogen de krant te lezen, een blonde lok haar hangt over zijn voorhoofd.

'Waar is mama?' vraagt Mus.

Freddy kijkt op van de krant. 'Die wordt door inspecteur Hardeman verhoord. Ze zitten in de eetzaal.'

'Wil je een boterham?' vraagt oma.

Mus knikt en oma smeert een boterham met kaas voor haar. Ze gaat aan tafel zitten en neemt een hapje. Hij smaakt nergens naar. Met lange tanden kauwt ze op het brood. 'Ik heb toch niet zo'n trek,' zucht ze.

Oma kijkt haar bezorgd aan. 'Heb je een beetje kunnen slapen?' vraagt ze.

'Ja, hoor,' liegt Mus.

Maria komt de keuken binnen met een emmer sop. 'Wat is die hal smerig!' roept ze. 'En nu moet ik alle deuren ook nog schoonmaken.' Hoofdschuddend leegt ze de vuile emmer sop in de gootsteen.

'Is opa in de schuur?' vraagt Mus.

'Ja, hij is in de schuur. Hij moest de haas nog slachten,' antwoordt oma.

'Ik ga ook even naar buiten,' zegt Mus. 'Een frisse neus halen.'

'Maar je hebt je boterham nog niet op.'

Mus antwoordt niet. Buiten schijnt een waterig zonnetje. De schuurdeur staat open en Mus ziet dat opa met zijn mes de ingewanden uit de buik van de haas haalt.

'Jakkes!' mompelt ze, en ze draait zich snel om. Ze loopt over het grindpad naar de weg. De politie heeft gisteravond een rood-wit lint om het restaurant gespannen. Mus kruipt eronderdoor. Op straat is het druk. Overal staan groepjes mensen opgewonden met elkaar te praten.

Alleen tijdens het dorpsfeest is het zo druk, denkt Mus. Ze loopt tussen de mensen door en ziet veel onbekende gezichten. Politieagenten, journalisten en mensen van buiten het dorp, die alles over de moord willen weten. Een grote auto rijdt toeterend door de menigte en stopt vlak voor het restaurant. Het is een televisieploeg. De omstanders gaan nieuwsgierig om de wagen heen staan. Er wordt geduwd, getrokken en op tenen getrapt, want iedereen wil vooraan staan.

Mus wordt bijna platgedrukt, maar kan zich nog net tussen de menigte door wringen. Als ze het rood-witte lint ziet, kruipt ze er snel weer onderdoor en loopt over het grindpad naar huis. Het grind knarst verschrikkelijk. Achter haar wordt het stil. Mus draait zich nieuwsgierig om en ziet honderd paar ogen naar haar staren. Ze bloost. Haar mond voelt zo droog als schuurpapier.

Een man met een camera verbreekt de stilte. 'Hé, jij daar!' roept hij. 'Woon jij hier? Ben jij het meisje dat het lijk heeft gevonden?' Een felle lamp schijnt in haar gezicht. Mus slaat een hand voor haar ogen.

'Kijk deze kant eens op!' roept een man met een fototoestel. Met een ruk draait Mus zich om en ze begint te rennen. Ze rent zo hard ze kan naar de voordeur, duwt hem open, rent naar binnen en gaat hijgend op de trap zitten. Haar hart gaat wild tekeer. Ze zijn gek geworden. Het hele dorp is gek geworden.

De keukendeur zwaait open en Mus kijkt verschrikt op. Inspecteur Hardeman komt samen met opa de keuken uit.

'Goeiemorgen, Mus!' zegt hij vriendelijk.

'Goeiemorgen, inspecteur,' antwoordt Mus.

Opa zegt niets. Hij loopt de eetzaal in en gaat aan de stamtafel zitten. Mus loopt achter hen aan, maar Hardeman doet de schuifdeuren vlak voor haar neus dicht.

'Sorry, Mus,' zegt hij met een grijns op zijn gezicht. 'Ik wil even alleen met je opa praten.'

Hmm, denkt Mus, dan kan ik eens een kijkje nemen in de schuur. Ze loopt naar de voordeur en duwt hem voorzichtig open. De mensen staan nog steeds om de wagen van de televisieploeg. Slager Veldkamp wordt geïnterviewd. Mus hoort zijn zware stem door de microfoon dreunen.

Ze haalt diep adem en rent zo snel mogelijk over het grindpad naar de schuur. Deze keer heeft ze geluk, niemand ziet haar. Ze doet de schuurdeur open en glipt snel naar binnen.

De haas hangt niet meer aan de spijker. Wat er van hem over is, staat in een emmer zout water onder de werkbank. Mus bukt zich en kijkt onder de werkbank. Naast de emmer met de haas staat een gereedschapskist. Verder niets. Ze tilt de kokosmat op en kijkt eronder.

Niets te zien. Hoe kan dat nou? vraagt Mus zich af. Er móét hier iets zijn. Ik kijk vast niet goed. Ze staat op en legt de kokosmat op de werkbank, net als opa. Opa was ineens verdwenen en dook even later weer op. Dat was ongeveer ... ongeveer hier ... Mus bekijkt de houten vloer aandachtig. Niet alle planken zijn even lang. Ter hoogte van het raam zit een rij kortere planken. Mus gaat op haar knieën zitten.

Er zitten geen spijkers in de planken, ze liggen los. Er zit een luik in de vloer! Opgewonden buigt Mus voorover en ze probeert haar vingers onder de losse planken te krijgen, maar dat lukt niet. Ze trekt de gereedschapskist tevoorschijn en neemt er een schroevendraaier uit. Ze duwt de schroevendraaier tussen de planken en wrikt net zo lang tot er een plank omhoogschiet. De andere planken kan ze er nu gemakkelijk uit halen.

Er verschijnt een gat dat nog geen meter diep is, maar de ruimte onder de vloer is toch best groot. Hij loopt onder de hele schuur door. Mus laat zich met een bonzend hart door het gat zakken. Onder de vloer is het schemerig en het ruikt er naar aarde en schimmel. Overal hangen spinnenwebben. Ze kleven aan haar gezicht.

Opa's haar zat vannacht vol spinnenwebben, herinnert Mus zich. Hij is hier geweest. Dat kan niet anders. Ze kruipt over de zanderige bodem en kijkt om zich heen. Haar adem stokt in haar keel als ze een zwart-witte sporttas ziet. Hij is achter een balk geduwd. Ze kruipt erheen en trekt de tas tevoorschijn. Hij is best zwaar.

Met trillende vingers ritst Mus de tas open. Haar mond valt open van verbazing als ze ziet dat hij vol sieraden zit. Gouden armbanden, halskettingen, oorbellen, horloges, ringen met grote, gekleurde edelstenen.

Ongelovig staart Mus naar de schat. Hoe komt opa hieraan? Haar wangen gloeien van opwinding.

Onder in de tas ligt een beeldje van een aapje. Voorzichtig haalt Mus het tevoorschijn. Het aapje is helemaal van goud en houdt zijn pootjes voor zijn bek. Mus heeft nog nooit zoiets moois gezien.

In de verte hoort Mus plots het grind knarsen. Haastig stopt ze het aapje terug in de tas, kruipt uit het gat en legt razendsnel de planken terug.

Ze wil net de kokosmat goedleggen als de deur van de schuur openzwaait.

Het reusachtige lijf van inspecteur Hardeman vult de deuropening. Hij kijkt Mus met gefronste wenkbrauwen aan. 'Wat doe jij nou hier, Mus?'

Mus bloost. Ze staat met haar mond vol tanden en kijkt verlegen naar de vloer. Opa komt naast de inspecteur staan. Ze voelt zijn verbaasde blik over haar heen glijden. Onhandig begint ze de spinnenwebben van haar kleren te vegen.

'Ik … eh … ik zocht de fietspomp,' liegt ze. 'Ik heb overal gekeken, maar ik kan hem nergens vinden.' Haar hoofd is vuurrood. Er valt een ongemakkelijke stilte. Mus durft de beide mannen niet aan te kijken en bijt zenuwachtig op haar lip.

Dan begint de inspecteur te lachen. 'Haha, je ziet er niet uit! Je haar zit vol spinnenwebben!'

Mus schudt haar hoofd heen en weer en probeert de spinnenwebben uit haar haar te slaan. Ze durft opa nog steeds niet aan te kijken. Als hij het maar niet doorheeft, hoopt ze angstig. Als hij maar niet doorheeft dat ik onder de vloer ben geweest.

Opa schudt zijn hoofd, haalt een sleutel uit zijn broekzak en loopt naar de geweerkast achter in de schuur. Terwijl Mus haar haar weer achter haar oren stopt, hoort ze het deurtje van de geweerkast piepend opengaan.

'Dit is 'm,' klinkt het achter in de schuur. Mus en de inspecteur draaien zich tegelijk om. Opa houdt zijn jachtgeweer vast, de kolf leunt tegen zijn schouder en met één oog dicht kijkt hij over de loop.

Mus houdt haar adem in. Hij gaat toch niet schieten? Maar er verschijnt een glimlach op opa's gezicht. 'Houd hem maar eens vast, inspecteur, beter worden ze niet gemaakt,' zegt hij trots.

Hardeman loopt naar hem toe. Ondertussen legt Mus snel de kokosmat op zijn plaats en glipt naar buiten. Gelukkig is de televisieploeg verdwenen en staan er geen mensen meer voor het restaurant.

In gedachten verzonken loopt ze over het grindpad naar de voordeur. Opa bewaart dus een tas vol sieraden onder de vloer van de schuur. Zou hij die tas daar vannacht hebben verstopt? Waarom? En van wie is die tas? Van opa zelf? Zou hij ... zou hij die sieraden gestolen hebben? Nee, dat is een belachelijk idee! Mus moet hoesten. Haar keel zit vol stof.

Een halfuur later vertrekt de inspecteur en opa komt als laatste de keuken in. De anderen zitten al aan tafel. Hij gaat naast Mus zitten.

Als hij maar niet vertelt dat hij mij in de schuur heeft betrapt, denkt Mus bij zichzelf. Maar opa doet of er niets aan de hand is.

'Is er nog koffie?' vraagt hij.

Maria schenkt een kopje voor hem in.

'Dus volgens de inspecteur is die man vermoord met een jachtgeweer?' vraagt mama.

Opa knikt.

'Wie doet nou zoiets!' roept mama verontwaardigd.

'Een jager?' suggereert Freddy.

'Een jager schiet geen mensen dood,' antwoordt opa geërgerd.

'Ook niet als hij in paniek raakt?' dringt Freddy aan.

'Wat weet jij daar nou van, Freddy? Wat weet jij nou van jagers?' Opa klinkt boos.

'Ik ben blij dat die linten vanavond worden weggehaald,' zucht mama. 'Dan kunnen we tenminste weer gewoon aan het werk. Weten jullie wat dat kost? Het restaurant een hele zondag dicht?'

Niemand reageert.

'Denken jullie dat de politie al iets heeft gevonden?' vraagt oma even later.

Opa haalt zijn schouders op. 'Wie zal het zeggen. Ze hebben alles op zijn kop gezet, misschien hebben ze een spoor gevonden.'

'Maar van wie?' vraagt Freddy. Zijn stem klinkt eigenaardig.

Zo eigenaardig dat Mus hem nieuwsgierig aankijkt. Freddy staart naar opa en er ligt een vreemde glans in zijn ogen. Mus begrijpt er niets van.

'Het is toch onvoorstelbaar dat hier iemand is vermoord!' roept Maria. 'Er gebeurt nooit iets in dit dorp. En nu dit!' Even zwijgt ze. 'Volgens de dokter ligt die man al sinds vrijdag in de vriezer. Ik hoorde het hem gisteravond tegen de inspecteur zeggen. Het schijnt dat zijn hele gezicht is weggeschoten ...'

'Maria!' roept oma. 'Zo is het wel genoeg! Denk toch eens aan het kind!'

Iedereen zwijgt. Mus hoort alleen nog het tikken van de lepeltjes in de koffiekopjes.

6   Onverwacht bezoek

Het is maandagmiddag en Mus is niet naar school. Mama heeft gezegd dat ze beter een paar dagen thuis kan blijven om bij te komen van de schrik. Mus zit op het dak en verveelt zich. Het regent, maar dat kan haar niks schelen. Eigenlijk is ze naar buiten geklommen om te oefenen voor het circus, maar dat gaat niet. Er loopt water door de dakgoot en dan is het veel te glad.

Mus kijkt naar de kerktoren, de weilanden en het bosje dat achter hun huis ligt. Alles glanst in de regen. Ze ziet hoe de herfstwind de eerste blaadjes van de bomen rukt en ermee speelt. Ze denkt aan de man in de vriezer. Zijn ijskoude hand. Iemand heeft hem doodgeschoten en daarna in de vriezer gelegd. Waarom? Ze denkt aan inspecteur Hardeman. Waarschijnlijk zit hij nu achter zijn bureau en neemt hij de verhoren door, op zoek naar een aanwijzing. Of misschien staart hij ook uit het raam naar de regen. En ze denkt aan de tas vol gouden sieraden. Aan het aapje. Aan opa. Aan de vreemde toon in Freddy's stem en de glans in zijn ogen.

De gedachten dwarrelen als blaadjes door haar hoofd en maken haar duizelig. Haar gezicht is nat van de regen en de druppels lekken uit haar haren. En dan is er ineens weer het geluid van knarsend grind. Mus staat op en loopt over de natte pannen naar de dakrand. Ze ziet nog net hoe iemand een fiets tegen de muur zet. Nieuwsgierig loopt ze weer naar haar slaapkamerraam en klimt naar binnen.

34

'Mus! Mus! Ben je daar?' Mama klopt op haar slaapkamer-deur.

Mus doet open. Ze heeft haar badjas aangedaan en een hand-doek om haar natte haar gewikkeld.

'Heb je gedoucht?' Mama kijkt haar verbaasd aan. Mus knikt en mama loopt naar haar toe en pakt haar handen vast. 'Wat heb je het koud!' roept ze bezorgd. 'Het gaat toch wel goed met je, hè, lieverd?'

'Ja, hoor,' antwoordt Mus.

Mama kijkt haar met opgetrokken wenkbrauwen aan. Maar als haar mobiele telefoon begint te rinkelen, laat ze Mus los en zoekt ze in haar zakken naar de telefoon. 'Ah! Het is de man van de frisdranken. Ik herken zijn nummer. Sorry, Mus, maar ik moet dit telefoontje opnemen. O, ja! Er staat een jongen voor je in de hal. Hij zegt dat hij bij jou in de klas zit.'

'Een jongen?' vraagt Mus verbaasd.

Mama knikt. 'Moet ik hem wegsturen of kom je naar bene-den?'

'Ik kom eraan,' zegt Mus.

Mama neemt de telefoon op. 'Restaurant De Oase, met Rosa Fonteijn,' zegt ze zakelijk. Ze knipoogt naar Mus en loopt met de telefoon in haar hand de gang op.

Mus gooit de handdoek op haar bed en trekt gauw droge kleren aan. Ondertussen vraagt ze zich af wie er in de hal staat.

Een paar minuten later springt ze met twee treden tegelijk de trap af.

En daar staat Rick Groeneveld. Mus staat sprakeloos tegen-over hem, kijkt in zijn chocoladebruine ogen en voelt dat ze rood wordt.

'Hoi Mus,' mompelt Rick. Hij heeft zijn handen in zijn zakken gestopt en kijkt een beetje ongemakkelijk om zich heen.

'Gaan jullie maar in de keuken zitten,' roept mama vanachter de plantenbak. Ze is nog steeds aan het bellen.

Het is stil in de keuken. Maria heeft vrij, Freddy haalt boodschappen en oma doet een middagslaapje.

'Wil je wat drinken?' vraagt Mus verlegen.

'Oké,' antwoordt Rick. Hij schudt zijn blonde haren uit zijn gezicht.

Mus haalt twee blikjes limonade en een stuk appeltaart uit de koelkast. 'Er blijft altijd wel iets over,' zegt ze.

'Lekker,' zegt Rick.

Mus breekt het stuk appeltaart in tweeën en geeft het grootste stuk aan Rick. Zwijgend zitten ze naast elkaar te eten. Mus denkt koortsachtig na over wat ze nog meer kan zeggen, maar ze kan niets bedenken. Alleen de regendruppels maken geluid. Ze tikken op het keukenraam. Steeds harder en ongeduldiger. Mus wordt er zenuwachtig van.

'Ik kom je iets brengen van de klas,' zegt Rick plotseling. Hij zet zijn blikje limonade op tafel en haalt een enveloppe uit zijn schooltas. Er zit een kaart in met een springende clown erop. Hij blaast letters door een toeter. *Van harte beterschap*, leest Mus.

'Ik ben helemaal niet ziek!' roept ze verontwaardigd. 'Ik blijf alleen een paar dagen thuis om … om uit te rusten.'

Rick haalt zijn schouders op. 'Wat jij wilt.' Hij pakt zijn blikje limonade van tafel en drinkt het in één teug leeg.

'Toch bedankt voor het brengen,' zegt Mus snel. Ze glimlacht naar Rick.

Hij glimlacht terug. 'Weet jij of de politie al iets gevonden heeft?' vraagt hij dan.

Mus stopt meteen met glimlachen. 'De man is vermoord met een jachtgeweer,' antwoordt ze droogjes.

'Vermoord met een jachtgeweer?' herhaalt Rick ongelovig. 'Weet je wat dat betekent? Dat betekent dat alle jagers verdacht zijn.'

Mus knikt. 'De politie heeft opa's jachtgeweer meegenomen voor onderzoek.'

'Dat hebben ze vast bij alle jagers gedaan,' zegt Rick peinzend. 'Ook bij Veldkamp en Weekhout.'

'Ja, ik denk het wel,' antwoordt Mus. 'Waarom?'

Rick staart even voor zich uit voor hij verder praat. 'Ik heb gistermiddag in de kleedkamer een vreemd gesprek gehoord,' begint hij aarzelend.

Mus kijkt hem nieuwsgierig aan.

'Ik was te laat. Ik dacht dat de wedstrijd afgelast was door de moord, maar hij ging gewoon door. Alle jongens liepen al op het veld. Ik rende naar de kleedkamers en kleedde me snel om. Toen ik mijn voetbalschoenen aantrok, hoorde ik stemmen in het gangetje. Ik herkende de stem van Veldkamp. Zijn zoon Jan is een vriend van me en de keeper van ons team, en zijn vader komt elke wedstrijd kijken. Ik keek door de deur en zag Veldkamp samen met Weekhout in de gang staan. Ze dachten dat ze alleen waren, maar ik kon het hele gesprek horen. Weekhout zei dat hij behoorlijk zenuwachtig werd van de politie. Ze stelden veel vragen en snuffelden overal rond. Veldkamp antwoordde dat hij rustig moest blijven. "Als jij je mond houdt en je normaal gedraagt, is er niets aan de hand," hoorde ik hem zeggen.

"Maar als ze nou wat vinden?" vroeg Weekhout zenuwachtig. Echt Mus, hij klonk hartstikke zenuwachtig.'

Mus bijt op haar lip. 'Wat antwoordde Veldkamp?' vraagt ze gespannen.

'Veldkamp begon te lachen. Hij zei: "Als ze wat vinden, heb je pech gehad, Johannes. Maar ze vinden niks. Echt niet."'

Mus staart Rick met open mond aan. Dan zwaait de keukendeur open en Freddy komt binnen. Hij draagt een kratje melk in zijn handen. 'Goeiemiddag!' roept hij vrolijk. Hij zet het kratje op het aanrecht en begint de pakken melk in de koelkast te zetten.

'Nou, dan ga ik maar,' mompelt Rick. Hij schuift zijn stoel naar achteren en staat op.

Mus staart voor zich uit. Haar wangen gloeien van opwinding. Rick staat al bij de keukendeur, als ze zich omdraait. 'Rick!' roept ze.

Hij kijkt haar vragend aan.

'Rick, zullen we morgenmiddag weer afspreken?'

'Mij best,' antwoordt hij.

Freddy fluit zachtjes tussen zijn tanden.

7 Mus gaat haar neus achterna

De volgende middag om kwart over drie loopt Mus ongeduldig heen en weer in de hal. Ze wacht op Rick. Ze weet zeker dat het gesprek dat hij gisteren in de kleedkamer heeft gehoord, belangrijk is. Weekhout verbergt iets voor de politie. Wat zou dat zijn? vraagt Mus zich af.

Eindelijk ziet ze Rick het grindpad op fietsen. Hij stapt af en zet zijn fiets tegen de muur. Mus staat hem al op te wachten in de deuropening.

'Hoi Rick!' roept ze.

'Hoi!' antwoordt Rick.

'Kom, we gaan naar boven naar mijn kamer, daar kunnen we ongestoord praten.'

Rick loopt achter haar aan de trap op. Mus doet haar kamerdeur open en loopt als eerste naar binnen.

Tjee. Rick Groeneveld is in mijn kamer, denkt Mus. Wie had dat kunnen denken. Ze voelt dat ze bloost, maar Rick ziet het gelukkig niet. Hij kijkt een beetje ongemakkelijk om zich heen.

'Een echte meidenkamer,' zegt hij.

Mus haalt haar schouders op. Hij mist vast de voetbalplaatjes.

'Mooie tekeningen.' Rick wijst naar de muur. 'Heb je die zelf gemaakt?'

Mus knikt.

'Ik vind ze echt hartstikke mooi.' Hij meent het.

39

Mus kijkt verlegen de andere kant op.

'Wie is dat?' Rick wijst naar de foto op haar bureau.

'Dat is mijn vader,' antwoordt Mus. 'Hij is dood.'

'O,' zegt Rick geschrokken. 'Sorry. Ik wist niet dat …'

'Geeft niet,' onderbreekt Mus hem. 'Hij is gestorven in een verkeersongeval. Maar dat was voor ik werd geboren. Ik heb hem nooit gekend.'

'O,' zegt Rick opnieuw. 'Rot voor je.'

Mus haalt haar schouders op. Er valt een ongemakkelijke stilte. Rick loopt naar het slaapkamerraam en kijkt naar buiten. Mus gaat naast hem staan en kijkt de tuin in. De blaadjes van de appelboom zijn bijna allemaal geel geworden. Ze kijkt opzij naar Rick en zegt geheimzinnig: 'Rick, ik wil je iets heel moois laten zien. Veel mooier dan de tekeningen in mijn kamer.'

Rick kijkt haar nieuwsgierig aan. Mus doet het slaapkamerraam open en klimt zonder iets te zeggen naar buiten. Ricks mond valt open van verbazing.

'Kom dan!' roept Mus. 'Dit moet je echt zien!'

Aarzelend klimt Rick naar buiten.

'Als je er niet tegen kunt, moet je niet naar beneden kijken,' zegt Mus. Ze zet haar voeten op de dakpannen en klimt een stukje naar boven.

'Moet dit nou echt?' Rick klinkt niet erg enthousiast.

'Ja, dit moet echt!' roept Mus over haar schouder.

Met knikkende knieën stapt Rick het dak op. Op handen en voeten klimt hij achter Mus aan. Met een zucht van opluchting gaat hij naast haar op het dak zitten.

'Kijk eens om je heen!' roept Mus enthousiast. 'Daar, de kerktoren! En daar recht voor je, het bosje! Helemaal boven is het uitzicht nog mooier.' Mus wil verder klimmen, maar Rick protesteert.

'Nee, dat doen we wel een andere keer. Ik vind dit al mooi genoeg.'

'Jij bent bang, hè!' zegt Mus plagend.

'Helemaal niet!' roept Rick.

'Later word ik koorddanseres in een circus,' zegt Mus. 'Ik kan al met losse armen door de dakgoot lopen.'

'Nou, jij liever dan ik,' mompelt Rick. 'Ik sta liever met mijn beide benen op de grond.'

Mus haalt twee plakken cake uit haar zak. 'Ze zijn wel een beetje platgedrukt, maar ze smaken prima. Wil jij er ook een?'

Rick knikt.

Mus geeft hem een plak cake en samen zitten ze op het dak te eten. 'Rick, ik vind dat je aan de politie moet vertellen wat je zondagmiddag hebt gehoord.'

'Waarom?' vraagt Rick met volle mond.

'Omdat ik het verdacht vind,' antwoordt Mus. 'Weekhout is bang voor de politie. Hij verbergt iets.'

Rick haalt zijn schouders op.

Mus denkt aan opa's sporttas en huivert.

'Luister eens, Mus, de politie is al bij Weekhout geweest. Ze hebben mijn hulp echt niet nodig.'

'Daar zou ik niet zo zeker van zijn. De politie kan best wat hulp gebruiken.'

'Hoe weet jij dat nou?'

'Inspecteur Hardeman heeft mij zelf om hulp gevraagd,' antwoordt Mus.

'Is dat zo?' vraagt Rick ongelovig.

'Ja, dat is zo,' zegt ze triomfantelijk. 'Hij heeft me om hulp gevraagd en ik heb besloten dat ik hem ga helpen.'

'Hoe dan?' Rick kijkt haar nieuwsgierig aan.

'Ik ga rondkijken bij de jagers. Weekhout verbergt iets en Veldkamp weet ervan. Volgens mij hebben alle jagers ermee te maken.'

'O, ja? Hoe weet jij dat nou?' vraagt Rick.

'Dat weet ik niet zeker. Maar dat ... dat ruik ik,' antwoordt Mus.

Rick begint te lachen.

'Ja, lach jij maar! Volgens inspecteur Hardeman kun je misdaad ruiken. En ik begin te snappen wat hij daarmee bedoelt.'

'Jij wilt dus gaan rondneuzen bij de jagers?' Rick fronst zijn wenkbrauwen. 'Dat is best gevaarlijk. Ze worden verdacht van moord.'

Mus knikt. 'Ik weet het. Maar juist daarom. Bovendien val ik niet op. Niemand let op een kind. Dat is een groot voordeel bij speurwerk.'

Een tijdje zitten ze zwijgend naast elkaar op het dak. Ieder verzonken in zijn eigen gedachten.

'Als je wilt, kunnen we het samen doen,' doorbreekt Rick aarzelend de stilte. Zijn stem klinkt een beetje schor.

Mus kijkt hem verbaasd aan. 'Wil je me helpen?' vraagt ze ongelovig.

Rick knikt.

'Dat is geweldig, Rick!' Mus kijkt hem stralend aan.

8   De hoestende kleerkast

Woensdag gaat Mus voor het eerst weer naar school. Als ze 's ochtends beneden komt, staat er een gloednieuwe fiets in de hal. Een mooie, rode fiets met een grote strik eromheen. Mama, opa en oma, Freddy en Maria zingen voor haar. En oma belooft dat ze 's middags een verjaardagstaart voor haar zal bakken.

Na het ontbijt stapt Mus blij op haar nieuwe fiets en ze rijdt naar school. Mama en oma zwaaien haar uit. Vanmiddag na de voetbaltraining komt Rick naar haar huis. Ze moeten immers nog van alles bespreken. Wie gaat bij welke jager rondsnuffelen? En wanneer? En hoe?

Ik kan het beste opa in de gaten houden, denkt Mus. Dat is het makkelijkste. Ze heeft Rick nog niets verteld over opa's sporttas. Daar voelt ze zich wel een beetje schuldig over, maar ze kan het niet. Nog niet. Rick zal opa meteen als schuldige aanwijzen. En misschien is dat ook wel zo. Misschien is haar opa wel de moordenaar ... Haar eigen opa, die net nog zo mooi voor haar heeft gezongen.

Mus is zo in gedachten verzonken dat ze de hond niet ziet. Plotseling rent hij uit de huishoudwinkel van Weekhout de straat op. Mus botst in volle vaart tegen hem aan en valt languit op straat. Haar lip bloedt, haar knieën en handen schrijnen verschrikkelijk. Maar het ergste is de hond. Een zwarte hond zo groot als een kalf staat dreigend over haar heen gebogen. Hij gromt gevaarlijk en ontbloot zijn vlijmscherpe tanden.

Mus trilt van angst.

'Wodan, af! Wodan, kom bij het baasje!'

Wodan rent meteen naar Weekhout, terwijl Mus bevend overeind krabbelt. Weekhout lijnt de hond aan en klopt hem liefdevol op zijn flanken.

'Gaat het beestje? Ben je erg geschrokken? Heb je je pijn gedaan? Jaja, kom maar bij het baasje.'

Mus likt het bloed van haar lip en pakt haar fiets op. Het stuur staat scheef en er zit een kras op de kettingkast. 'O, nee!' kreunt Mus. 'Mijn nieuwe fiets …'

'Jij moet wel uitkijken waar je fietst, jongedame!' roept Weekhout boos. Zijn magere lijf trekt krom van woede.

Mus zegt niets. Ze probeert haar stuur recht te zetten.

'Is het geen prachtig beest? Een volbloed dobermann. Je mag blij zijn dat hij niet gewond is. Dat had je moeder flink wat geld gekost!'

Wodan staat naast Weekhout en Mus kan niet beslissen wie de grootste grijns op zijn gezicht heeft.

'Nou, schiet op! Naar school jij!' blaft Weekhout. Wodan en

Weekhout draaien zich tegelijk om en lopen de winkel in.

Mus stapt op haar fiets. Haar handen trillen. En haar benen ook. De hele weg naar school ziet ze de dreigende tanden van Wodan voor zich. Ze gaat steeds sneller fietsen.

Buiten adem zet ze haar fiets in de fietsenstalling. Vlak naast Mia Weekhout en Bea De Haan. Twee hartsvriendinnen. Mia is een kop groter dan Bea en draagt haar lange, blonde haar meestal in een paardenstaart. Bea's haar is ook blond, maar korter, en het hangt meestal los op haar schouders. Ze kleden zich allebei volgens de laatste mode en roddelen graag. Ook nu staan ze druk met elkaar te kletsen en ze zien Mus niet. Ze zien Mus nooit. Zelfs als ze per ongeluk met haar wiel langs hun benen schuurt, merken ze er niets van.

'Hoi Mus!' Rick zet zijn fiets naast haar in het rek. Mia en Bea kijken meteen op. Rick zien ze wel. Iedereen ziet Rick. Hij is voetbalkampioen.

'Wat is er met je lip?' vraagt hij bezorgd.

'Och, niks,' zegt Mus stoer. Ze lopen samen over het schoolplein. Mus voelt hoe Mia en Bea hen nastaren en moet er stiekem om lachen.

'Wist je dat Weekhout een waakhond heeft gekocht?' zegt Mus als ze de hoek om zijn.

'Nee. Sinds wanneer?' vraagt Rick.

Mus haalt haar schouders op. 'Het is een dobermann. Een heel grote.'

'Goh, dat Weekhout een waakhond koopt. Hij is wel erg bang, hè?' Rick kijkt haar veelbetekenend aan.

'Hé, Rick!' Jan Veldkamp geeft hem een klap op zijn schouder en lacht ondeugend van onder zijn donkere krullen, die vrolijk alle kanten opspringen. Het gesprek gaat meteen over voetbal. Mus loopt achter de jongens aan de school in.

Een kwartiertje later zit ze over haar rekenwerk gebogen. Ze zit alleen aan een tafeltje achter in de klas. Het is zo stil dat je een speld kunt horen vallen. Toch kost het Mus moeite om haar aandacht bij het rekenen te houden. Haar blik dwaalt steeds af naar buiten. Naar de kale struiken voor het raam. Ze zien eruit als grote, sombere skeletten. Mus denkt aan de man uit de vriezer en er loopt een koude rilling over haar rug.

De ochtend lijkt eindeloos te duren. Om twaalf uur slaat Mus haar schrift met een zucht dicht en loopt ze opgelucht naar buiten. Ze pakt haar fiets uit de fietsenstalling en rijdt snel weg.

Als ze voorbij bakkerij Vonk fietst, ziet ze dat de winkel vol mensen staat. Zelfs buiten op de stoep verdringen zich mensen voor de etalage. Nieuwsgierig stapt Mus af en onopvallend schuift ze tussen de mensen door naar binnen.

Joop Vonk staat op een ladder en hangt een camera aan het plafond. Zijn broer Jaap spreekt de mensen toe. Hij draait aan zijn grote grijze snor en geniet zichtbaar van alle aandacht.

'De camera is verbonden met dat kastje daar.' Jaap wijst naar een zilverkleurig kastje dat boven de schappen hangt.

'Wanneer er een indringer binnenkomt, gaat bij ons boven het alarm af.' Mus staat achter in de bakkerij en leunt tegen een deur waar *Privé* op staat. De deur zwaait open en ze valt achterover de gang in. Languit op de plavuizenvloer. Snel krabbelt ze overeind en kijkt ze de winkel in. Tot haar grote verbazing heeft niemand iets van de valpartij gemerkt. Iedereen luistert aandachtig naar Jaap, die met luide stem uitlegt hoe de alarminstallatie werkt.

Niemand heeft me zien vallen. Niemand weet dat ik in de gang ben, schiet het door haar heen. Even aarzelt ze, dan duwt ze de deur naar de winkel zachtjes dicht en draait zich om. Ze staat in een smalle gang. Aan het eind van de gang is een keukentje. Als je doorloopt, kom je bij de ovens waar de broden worden gebakken. Gloednieuwe ovens. Volgens mama hebben ze een kapitaal gekost en moeten de gebroeders Vonk heel veel brood verkopen om dat terug te verdienen.

Halverwege de gang is een trap naar boven. Haar hart begint sneller te kloppen als ze langzaam de trap op loopt. Boven ruikt het een beetje muf. Links staat een deur open. Nieuwsgierig loopt Mus naar binnen. Het is de woonkamer. Voor de ramen hangen donkergroene fluwelen gordijnen. Er staat een bruin leren bankstel, een salontafel, een tv en een boekenkast. Mus loopt naar de boekenkast.

Encyclopedie van het menselijk lichaam. Deel 1, leest Mus op de donkerbruine kaft van een groot boek. Ze pakt het uit de kast en bladert erin. Er staan veel plaatjes in. Tekeningen van skeletten en spieren, maar ook kleurenfoto's.

Het hart, leest Mus. Jakkes! Wat ziet dat er bloederig uit. Ze trekt een vies gezicht en slaat het boek dicht. Als ze het terug in de kast zet, krijgt ze het gevoel dat er iemand naar haar kijkt. Geschrokken draait ze zich om en kijkt de kamer in. Twee zwarte kraaloogjes staren haar brutaal aan. Het is een opgezette vos die op een houten voetstuk naast de bank staat.

'Poeh,' zucht ze opgelucht. 'Je laat me schrikken, vosje.' Ze steekt haar tong naar het dier uit en loopt terug naar de overloop. Er zijn nog twee andere deuren boven. Beneden hoort ze de stem van Jaap. Zo te horen is hij nog lang niet uitgepraat.

Ik kan nog wel even verder kijken, denkt Mus. Ze loopt naar de deur recht tegenover de woonkamer en doet hem open. Het is de slaapkamer.

Ook daar hangen donkergroene fluwelen gordijnen. Tegen de ene muur staat een enorme kleerkast. Tegen de andere staan twee eenpersoonsbedden broederlijk naast elkaar. Tussen de bedden staat een ouderwets nachtkastje met een marmeren blad. Mus kijkt ernaar en snakt naar adem. Op het nachtkastje staat een beeldje van een aapje. Een gouden aapje! Ze loopt ernaartoe en pakt het met trillende handen vast.

Het lijkt op het beeldje dat opa heeft, denkt ze opgewonden. Alleen houdt dit aapje zijn pootjes op zijn oren en kijkt het haar grijnzend aan. Op de vloer tussen de bedden ziet ze iets glinsteren. Mus zet het beeldje voorzichtig terug en bukt zich om het op te pakken. Het is een gouden oorbel.

Wat moeten de Vonken met een gouden oorbel? Zouden ze nog meer sieraden hebben? Mus ziet dat het deurtje van het nachtkastje op een kier staat. Haar hart begint sneller te kloppen. Ze wil het deurtje openduwen, maar hoort achter zich iemand hoesten. Ze schrikt zo dat ze de oorbel laat vallen en haar hoofd stoot tegen de marmeren rand van het kastje.

'Au!' gilt ze, en ze grijpt naar haar hoofd. Ze wrijft over de pijnlijke plek en kijkt om zich heen. Ze is alleen in de kamer.

Hoe kan dat nou? denkt Mus verward. Ik hoorde echt iemand hoesten. Haar blik blijft steken bij de kleerkast. Er zit iemand in de kast! Iemand heeft zich verstopt in de kleerkast. Maar waarom? Haar hart bonkt in haar keel. Met knikkende knieën loopt Mus naar de kast en ze pakt de deurklink vast.

Het zweet staat in haar handen als ze de deurklink langzaam

naar beneden duwt. Precies op dat moment barst beneden een daverend applaus los. Mus schrikt en laat de klink los. Ze hoort voetstappen op de plavuizen in de gang. Met trillende benen loopt ze de slaapkamer uit en sluipt de trap af naar beneden.

De gang is leeg. Snel glipt ze de winkel in en wurmt ze zich tussen de mensen door naar buiten. Niemand let op haar. Ze verdringen zich om Jaap en Joop, die gratis krentenbollen uitdelen. Mus pakt haar fiets en rijdt zo snel mogelijk naar huis.

Om vier uur komt Rick naar De Oase. Hij heeft zijn trainingspak nog aan als hij de keuken in loopt. Mus is blij dat hij er is. Ze wil hem zo graag vertellen wat ze heeft ontdekt. Oma geeft Rick een groot stuk taart en Mus schenkt een glas limonade voor hem in. Dan gaat ze tegenover hem aan de keukentafel zitten.

'Goh, ik wist niet dat je jarig was,' zegt Rick. 'Dat had je wel mogen vertellen.'

Mus haalt haar schouders op. 'Het was al een paar dagen geleden.'

'O,' zegt Rick. 'Nou, de taart smaakt heerlijk.'

'Neem gerust nog een stukje,' zegt oma vriendelijk.

'Nee!' roept Mus. 'Daar hebben we geen tijd voor.'

Oma en Rick kijken haar verbaasd aan. 'Waarom niet?' vraagt Rick.

'Je moet me helpen met een opdracht voor school.'

Rick trekt zijn wenkbrauwen op.

Mus voelt dat ze bloost. 'Kom nou maar mee naar mijn kamer,' zegt ze vlug.

'Nou, jullie moeten het zelf weten,' zegt oma. 'Maar er is taart genoeg.'

Mus staat op en loopt de hal in. Rick komt op een drafje achter haar aan. 'Hé, Mus! Wat zeg je nou. We hebben helemaal geen opdracht van school.'

'Dat weet ik ook wel,' antwoordt Mus. 'Maar ik hou het niet langer uit. Ik moet met je praten. Onder vier ogen.'

Nieuwsgierig loopt Rick achter haar aan de trap op. Boven draait Mus de deur van de slaapkamer achter zich op slot. Ze gaan samen op het bed zitten en Mus vertelt wat er in de bakkerij is gebeurd.

'Wat moest jij ook boven bij de gebroeders Vonk!' roept Rick boos.

'Ik ging gewoon mijn neus achterna,' antwoordt Mus.

Rick schudt zijn hoofd.

'Zij zijn toch ook jagers? Ik kon zo naar boven lopen. Niemand zag me.'

'Die figuur in de kast heeft je vast gezien.'

'Ja,' geeft Mus toe. 'Ik denk het wel.' Ze wrijft over haar hoofd. Er zit een dikke bult op de plek waar ze zich heeft gestoten.

'Wie zou dat zijn?' vraagt Rick. 'Wie verstopt zich nou boven bij de gebroeders Vonk? Dat is toch raar.'

Mus knikt.

'Heb je verder nog iets verdachts gezien?'

'Er was wel iets. Iets wat me opviel,' zegt Mus langzaam.

'Wat dan?' vraagt Rick nieuwsgierig.

Mus schraapt haar keel. 'Een gouden aapje.'

'Een gouden aapje?' herhaalt Rick ongelovig.

'Ja. Een beeldje. Ongeveer tien centimeter groot. Het stond op het nachtkastje.'

'Hmm,' antwoordt Rick. 'Wat is daar zo verdacht aan?'

Mus aarzelt. Ze kijkt naar Rick, haalt diep adem en zegt: 'Mijn opa heeft ook zo'n beeldje. Hij verstopt het in een sporttas in de schuur.'

'Wat?' roept Rick.

'Ja, echt waar. En in die tas zit nog veel meer. Armbanden, oorbellen, ringen, horloges. Alles van goud.'

Rick kijkt haar met open mond aan.

'Ik had het je eerder willen vertellen, maar het kwam er niet van.' Mus voelt dat ze bloost. Rick fronst zijn wenkbrauwen en Mus zwijgt. Ze kijkt beschaamd voor zich uit.

'Denk je dat ze samen een overval hebben gepleegd?' vraagt Rick aarzelend.

Mus haalt haar schouders op.

'Mus, je móét dit aan de politie vertellen. Het kan niet anders.' Rick kijkt haar strak aan.

Mus zucht. Ze weet dat hij gelijk heeft.

9   Verre reizen

Die nacht droomt Mus over opa. Hij staat op de parkeerplaats voor De Oase en zijn jachtgeweer leunt tegen zijn schouder. Met één oog dicht kijkt hij over de loop en richt op een man met gitzwart haar. De man heeft een motorjack aan en draagt motorlaarzen. Zijn gezicht is helemaal van goud. Opa haalt de trekker over en het gezicht van de man spat in duizend stukjes uiteen. Ze dwarrelen langzaam naar beneden en bedekken de parkeerplaats met een glimmend laagje goud.

Mus schrikt wakker met een bonzend hart. Snel gaat ze rechtop zitten en ze knipt het licht aan. Alle spullen in haar kamer zien er normaal uit. Haar tekeningen hangen aan de muur en het bureautje staat voor het raam. Niets is uit elkaar gespat. Opgelucht haalt ze adem en leunt ze achterover tegen haar kussens.

En als het nou waar is? denkt ze. Stel dat opa die man echt heeft vermoord. Hij schiet voor zijn plezier elke week hazen en fazanten dood. Hij hangt ze op aan een spijker in de schuur en zonder met zijn ogen te knipperen steekt hij een mes in hun buik om het velletje eraf te stropen. Er loopt een koude rilling over haar rug. Ik denk dat hij het kan. Ik denk dat hij iemand kan vermoorden. Maar waarom? Voor een tas met goud? Mus gooit het dekbed van zich af en stapt uit bed. Onrustig loopt ze heen en weer in haar kamer.

Ik wil nergens meer aan denken! zucht ze. Ze loopt naar het raam, zet het open en klimt naar buiten. De frisse lucht doet haar goed. Ze gaat op het dak zitten en kijkt de donkere tuin in. Het licht in de schuur brandt.

'O, nee!' roept ze wanhopig. 'Ik wil niet weten wat opa aan het doen is. Ik wil het niet weten! Ik wil met de hele zaak niets meer te maken hebben. Rick kan zeggen wat hij wil, maar ik kan mijn eigen opa toch niet aangeven bij de politie! Ik kan het niet! Ik wil het niet!' Wild schopt ze tegen de dakpannen. De tranen springen in haar ogen.

Mus klimt verder het dak op, helemaal naar boven. Op het hoogste puntje gaat ze zitten en laat haar tranen de vrije loop. De herfstwind blaast zachtjes door haar haar, streelt haar gezicht en droogt haar tranen. Langzaam kalmeert ze. Ze denkt aan inspecteur Hardeman. Hij is aardig. Helemaal geen bullebak. Als opa echt in de problemen zit, kan Hardeman hem misschien helpen.

Mus zucht diep en ziet dat het licht in de schuur nog steeds brandt. Ik moet gaan kijken, besluit Mus. Ik móét.

Even later klimt ze langs de regenpijp naar beneden en in het donker loopt ze naar de schuur. Ze kijkt door het raampje naar binnen. Opa staat met zijn rug naar haar toe en leunt tegen de werkbank. Hij bladert in een tijdschrift. Naast hem op de werkbank staat een fles jenever.

Mus gaat op haar tenen staan en ziet nog meer tijdschriften liggen. Het zijn folders van een reisbureau. Mus houdt haar hoofd scheef en probeert te achterhalen wat erop staat. *Verre reizen*, leest ze. Mus kijkt weer naar opa. Hij ziet er anders uit vanavond. Tevreden.

Opa draait zich om naar het raam en schenkt zichzelf een borrel in. Mus duikt snel weg. Het blijft stil. Hij heeft haar niet gezien. Als ze weer durft te kijken, staat opa voor de geweerkast met de borrel in zijn hand. Hij heft zijn glas naar de kast en drinkt het dan in één teug leeg.

Waarom proost hij nou met de geweerkast? vraagt Mus zich af. Ik begrijp er niets meer van. Opa loopt terug naar de werkbank, zet zijn lege glas neer en stopt alle folders in een plastic tas. Ze hoort hem zachtjes fluiten. Dat doet hij anders nooit! Dan stopt hij de plastic tas en de fles jenever in de geweerkast en draait de deur op slot. Voor de deur blijft hij staan kijken.

Als hij wegloopt, ziet Mus de ansichtkaart. Zo lang als Mus zich kan herinneren, zit er een ansichtkaart op de deur van de geweerkast gespijkerd. Net als een paar bierviltjes en een oude nummerplaat. Niemand die er ooit naar kijkt. Ze horen bij de kast. Meer niet.

Opa doet het licht uit en loopt de schuur uit. Fluitend loopt hij over het grindpad naar huis. Mus wacht tot hij binnen is, dan glipt ze de schuur in. Ze durft het licht niet aan te doen. Voorzichtig schuifelt ze langs de fietsen naar de geweerkast. En daar, in een streep maanlicht, hangt de ansichtkaart. Een oude, verkleurde kaart met een groot, wit gebouw erop.

'Het lijkt wel een paleis. Een paleis van een sultan,' mompelt Mus. Ze haalt diep adem en trekt de kaart met een ruk van de spijker.

10 Een motorrijder die van soep houdt

Donderdagmiddag komt inspecteur Hardeman langs met een tekening. 'Het slachtoffer moet er ongeveer zo hebben uitgezien,' zegt Hardeman. Hij legt de tekening op de keukentafel.

Mus kijkt ernaar. Wat een lelijke tekening, denkt ze. Zou de inspecteur die zelf hebben gemaakt? Er staat een mager mannenhoofd op. De ogen zijn niet meer dan spleetjes. De neus is lang en de lippen zijn dun. De oren zie je niet. Die zitten onder wilde, zwarte potloodkrassen. Dat moeten de haren voorstellen.

Freddy pakt de tekening van tafel. Mama en Maria kijken over zijn schouder mee.

'Ik ken die man,' stamelt Maria geschrokken. Ze wordt spierwit en begint te trillen over haar hele lijf.

'Ga even zitten,' zegt mama. Ze pakt Maria bij haar schouders en zet haar op een stoel. Ondertussen schenkt oma een glaasje water voor haar in. Maria neemt een slokje en langzaam komt er weer wat kleur op haar wangen.

'Gaat het weer een beetje?' vraagt Hardeman. Maria knikt. 'Dus jij kent die man?'

'Hij heeft hier vorige week een paar keer gegeten,' antwoordt Maria. 'Ik weet het zeker. Zo'n gezicht vergeet je niet snel.' Haar stem klinkt hoog.

'Volgens mij heb ik hem ook gezien,' zegt mama peinzend. 'Hij zat aan een tafeltje bij het raam.'

'Weten jullie hoe hij heet?' vraagt de inspecteur.

Mama haalt haar schouders op, Maria schudt haar hoofd.

'Hebben jullie met hem gesproken?'

'Gewoon zo'n praatje dat je met alle gasten maakt,' antwoordt Maria.

'Kun je je nog iets van dat gesprek herinneren?' dringt Hardeman aan.

Maria fronst haar wenkbrauwen. 'Hij vertelde dat hij hier op vakantie was,' zegt ze met trillende stem.

'Op vakantie?' herhaalt de inspecteur.

'Ja. Hij kampeerde op een camping hier vlakbij. Hij vond oma's soep zo lekker. Speciaal voor haar soep bleef hij een paar dagen langer.' Maria barst in huilen uit.

Freddy slaat troostend een arm om haar heen. Maria legt haar hoofd tegen zijn schouder en snikt met lange uithalen.

'Zijn hier veel campings in de buurt?' vraagt Hardeman.

'Een stuk of drie,' antwoordt mama. 'De adressen staan gewoon in het telefoonboek. Ik wil ze wel even voor u opzoeken.' Hardeman knikt en mama staat op en verdwijnt naar de hal.

Opa heeft al die tijd niets gezegd. Nu pakt hij de tekening van tafel en hij bekijkt hem aandachtig.

'Herkent u hem ook?' vraagt Hardeman aan opa.

'Nee! Absoluut niet,' antwoordt opa nors. 'Ik heb die man nog nooit eerder gezien.' Hij gooit de tekening weer op tafel.

Hardeman kijkt hem verbaasd aan.

'Kom nou, Herman!' roept Freddy. 'Jij kent die man ook. We hebben samen op de parkeerplaats naar zijn motor staan kijken. Een zwarte Harley Davidson. Een prachtige motor.'

Opa kijkt Freddy met zo'n vernietigende blik aan dat Mus er kippenvel van krijgt.

'Dus hij was met de motor?' vraagt Hardeman.

'Ja,' antwoordt Freddy. 'We hebben een paar keer staan kletsen. Aardige vent. Hij vertelde dat hij de hele omgeving op de motor verkende. Hij maakte elke dag een tochtje. Een echte liefhebber.'

'Jij weet vast nog wel hoe hij heette,' zegt de inspecteur.

'Volgens mij heette hij Willem.' Freddy kijkt naar opa. 'Dat zei hij toch, hè, Herman? Of niet?'

Opa antwoordt niet, maar staart naar het tafelblad. Mus ziet de blauwe ader in zijn slaap kloppen.

'Zijn achternaam heb ik niet onthouden,' zegt Freddy, 'maar volgens mij kwam hij uit Amsterdam.'

'Waarom denk je dat?' vraagt Hardeman.

'Ik heb zelf een tijdje in Amsterdam gewoond. Ik herkende het accent.' De inspecteur maakt aantekeningen in zijn boekje.

Oma schenkt koffie in.

'Freddy, is je verder nog iets bijzonders aan die Willem opgevallen?' vraagt Hardeman.

Freddy haalt diep adem en kijkt naar opa. Er ligt iets spottends in zijn blik. 'Nou, inspecteur. Nu ik erover nadenk, is mij wel iets opgevallen, ja. Iets aan zijn motor ...'

'Wat dan?' vraagt Hardeman.

Freddy blijft opa aankijken terwijl hij antwoordt. 'Er zat een flinke deuk in het spatbord. En ook een in de benzinetank. Dat heb jij toch ook gezien, Herman?'

Mus ziet dat opa ineenkrimpt.

'Hé, Herman! Hoor je niet wat Freddy zegt?' vraagt oma. 'Dat moet jij je toch ook herinneren?'

Opa haalt zijn schouders op.

Iedereen staart hem verwonderd aan.

Opa doet vreemd, denkt Mus. Heel vreemd.

Mama komt terug uit de hal en geeft Hardeman de adressen van de campings.

'Dank je, Rosa,' zegt Hardeman. 'Jullie hebben mijn kaartje, dus als iemand nog iets te binnen schiet, kun je me altijd bellen.' Zijn blik blijft even rusten op opa, die net doet of hij het niet merkt. 'Jullie kunnen me trouwens bellen over alles wat met het onderzoek te maken heeft,' voegt Hardeman eraan toe. Dan neemt de inspecteur afscheid en hij loopt naar buiten.

Mus sluipt onopvallend achter hem aan en halverwege het grindpad trekt ze aan zijn mouw.

'Huh?' roept hij geschrokken. 'Mus! Waar kom jij opeens vandaan?'

Mus bijt op haar lip. Ze is zenuwachtig. 'Inspecteur, ik moet u iets vertellen. Iets belangrijks.'

Hardeman kijkt haar nieuwsgierig aan. 'Is hier ergens een plekje waar we ongestoord kunnen praten?' vraagt hij.

Mus wijst naar de schuur en samen lopen ze naar binnen.

'Ik maak me ongerust over opa,' zegt Mus. Ze leunt tegen de werkbank en staart naar de vloer. 'Hij gedraagt zich de laatste tijd nogal vreemd. Ik maak me zorgen …' Mus zwijgt. Ze durft Hardeman niet aan te kijken. Haar hoofd is vuurrood.

'Wat wil je me nou eigenlijk vertellen, Mus?' vraagt Hardeman. Hij gaat vlak voor haar staan en duwt zachtjes haar kin omhoog.

'Als je iets weet wat belangrijk is voor het onderzoek, moet je het me zeggen. Geloof me, Mus, dat is uiteindelijk het beste voor iedereen. Ook voor jouw opa.'

Mus kijkt in zijn ogen. Het zijn ogen die veel hebben gezien en ze stellen haar gerust. Mus weet niet precies waarom, maar ze vertrouwt de inspecteur. Al vanaf hun eerste ontmoeting. Ze haalt diep adem en begint te vertellen. 'Dezelfde avond dat ik die man in de vriezer vond, zag ik opa in het donker naar de schuur lopen. Ik ben hem achternagegaan. Hij verdween onder de vloer en kwam na een tijdje weer terug.'

'Ik snap het niet helemaal,' zegt Hardeman. 'Hoe verdween hij dan onder de vloer?'

Mus schuift de kokosmat opzij en wijst naar het luik. Hardeman helpt haar om de planken eruit te halen.

'Wat moest hij daar?' vraagt hij.

'Hij verbergt daar iets,' antwoordt Mus. Hardeman kijkt haar vragend aan. 'Een sporttas met goud. Gouden sieraden en een beeldje van een aapje. Wacht even, dan laat ik het u zien.' Mus laat zich door het gat glijden en kruipt over het zand naar de sporttas. Hij zit keurig achter de balk verstopt. Net als de eerste keer. Mus trekt hem tevoorschijn, maar tot haar verbazing is hij helemaal niet zwaar. Ze ritst hem open en staart naar de bodem.

'Leeg?' roept ze geschokt.

'Lukt het, Mus?' De inspecteur heeft zijn hoofd door het gat gestoken.

Mus slikt, kruipt met de tas terug naar het luik en laat zich door Hardeman omhoogtrekken.

'Nou, laat maar eens zien,' zegt hij nieuwsgierig. 'Maar die tas is leeg, er zit niks in.' Hardeman kijkt haar met opgetrokken wenkbrauwen aan.

Mus bloost. 'Ik snap er niks van,' stamelt ze. 'Alles zat erin. U moet me geloven. Gouden horloges, ringen met edelstenen, armbanden, oorbellen …'

Hardeman zucht. 'En waar is al dat goud dan gebleven?'

Mus haalt haar schouders op. Ze schaamt zich rot. Het liefst wil ze weer onder de vloer kruipen.

'Luister, Mus, jij hebt een zware week achter de rug. Het vinden van een lijk is niet niks. Ik snap best dat je een beetje in de war bent.' Hardeman geeft een vriendelijke aai over haar bol.

Mus bijt op haar lip. De tranen springen in haar ogen.

'Om je een plezier te doen neem ik deze tas mee naar het bureau,' zegt hij. 'Daar laat ik hem op sporen onderzoeken. Dat beloof ik. Oké?' Mus knikt. 'Beloof jij mij dan dat je het een beetje rustiger aan doet?' Hij geeft een speelse stomp tegen haar schouder.

Maar Mus kan er niet om lachen. Ze staart naar de vloer en doet verschrikkelijk haar best om niet in huilen uit te barsten.

11   De Taj Mahal

's Avonds begint het te stormen. De wind raast om het huis en de pannen op het dak rammelen. Het is al laat, maar Mus is nog klaarwakker. Ze zit rechtop in bed en houdt de ansichtkaart uit de schuur in haar handen. Aan de achterkant, vlak naast het gat van de spijker, staat in kleine drukletters TAJ MAHAL. De kaart is aan opa gericht. Het kost Mus moeite het ouderwetse handschrift te lezen.

Beste Herman,

Vorige week zijn we aangekomen in India. Pas over tien dagen vertrekt ons schip weer. India is een vreemd land. Ze hebben hier bijvoorbeeld geen stoelen en iedereen zit op de grond. Ik heb met een paar maten de Taj Mahal bezocht. Ongelofelijk! Wat een gebouw. De keizer heeft het uit liefde voor zijn overleden vrouw laten bouwen. Hij moet wel erg gek op haar zijn geweest. Hoe gaat het met jou en je liefje? Nog geen spijt van je beslissing? Een wegrestaurant is wel heel wat anders dan de Taj Mahal. Nou ja. Ze zijn allebei wit. Haha!

Ahoi, ouwe landrot,

Lucas Weekhout

Hmm. Ik ken geen Lucas Weekhout, denkt Mus. Hij woont niet in het dorp, maar hij is vast familie van Johannes Weekhout. Mus kijkt naar het stempel op de postzegel. Wat staat daar nou voor jaartal? Het zijn Romeinse cijfers. Even rekenen. Dat is … Jee, deze kaart is zevendertig jaar oud! En opa heeft hem al die tijd bewaard. Waarom?

Nog geen spijt van je beslissing? leest Mus opnieuw. Wat zou die Lucas daarmee bedoelen? Ik begrijp steeds minder van opa. Waarom bewaart hij een oude ansichtkaart uit India? Wat is daar zo bijzonder aan? Waarom haalt hij folders bij het reisbureau? Waarom ontkent hij dat hij de man uit de vriezer heeft gezien, terwijl hij nota bene samen met Freddy naar zijn motor heeft staan kijken! Dat is hartstikke verdacht!

Mus zucht diep. En dan die tas met goud! Waar zijn die juwelen gebleven? Of … of heb ik het me allemaal maar verbeeld? Heeft de inspecteur gelijk en heeft er nooit goud in die tas gezeten. Ik begrijp er niets meer van. Morgen op school ga ik met Rick praten. Ik moet met Rick praten. Misschien dat hij het wel begrijpt.

Mus legt de ansichtkaart op haar nachtkastje, stapt uit bed, loopt naar het slaapkamerraam en zet het open. Voorzichtig klimt ze naar buiten. Het waait zo hard dat ze op handen en voeten naar boven moet klimmen. Helemaal boven, op de nok van het dak, gaat ze zitten. Haar benen aan weerskanten, alsof ze op een paard zit. Het dorp is verdwenen in de nacht. Alleen de straatlantaarns langs de weg drijven als boeien in de storm. De wind rukt aan haar nachtpon, trekt aan haar haren, kriebelt in haar neus, zwiept haar heen en weer. Maar het leukste is dat hij alle nare gedachten uit haar hoofd blaast. Mus zuigt haar

longen vol, duwt haar benen steviger tegen de pannen en ga-
loppeert door de storm.

De volgende ochtend zit Mus alleen aan de keukentafel. Iedereen is al aan het werk. Ze schenkt een glas melk in en kauwt op
een stuk brood. De storm heeft een grote tak van de appelboom
gerukt en die ligt nu over de struiken tegen het keukenraam.
Opa en Freddy staan buiten bij de tak te overleggen. Als ze naar
de schuur lopen, kijkt Mus hen na.

Sleept Freddy nou met zijn been of verbeeld ik me dat maar?
Mus haalt haar schouders op, pakt haar jas van de kapstok en
loopt naar buiten. De ansichtkaart van de Taj Mahal heeft ze in
haar zak gestopt. Buiten klinkt het lawaai van de motorzaag.
Mus loopt de tuin in en ziet hoe Freddy bezig is de tak in stukken te zagen. Hij gooit de afgezaagde stukken in de kruiwagen.
Er ligt een verbeten trek om zijn mond.

Mus voelt dat er iets met Freddy is. Het lijkt wel of hij pijn
heeft. Nieuwsgierig staat ze naar hem te kijken. Freddy recht zijn
rug en draait zich om. De motorzaag ligt dreigend in zijn handen als hij haar aankijkt. Mus ziet een vreemde glans in zijn ogen
en krijgt een naar gevoel in haar buik.

'Wat sta je mij nou aan te gapen,' zegt hij langzaam. 'Is er iets?
Kan ik iets voor je doen?' Mus schudt haar hoofd. 'Nou, dan zou
ik maar snel naar school gaan,' zegt Freddy koeltjes. 'Straks kom
je nog te laat.' Hij zet de motorzaag weer aan. De machine jankt
onheilspellend.

Mus draait zich om en loopt snel naar de schuur. Waarom
doet Freddy zo gemeen? Opa heeft het hakblok voor de schuur
gezet. Hij staat bij de werkbank en is de bijl aan het slijpen. De

vonken springen van de slijpsteen. Hij glimlacht naar Mus als ze binnenkomt en haar fiets pakt. Even kijkt ze naar de lege spijker op de geweerkast. Hij lijkt extra te glimmen. Haastig loopt ze de schuur uit en fietst weg.

Alle kinderen zitten al in de klas en de juffrouw wil net de deur dichtdoen als Mus de gang in rent. Snel hangt ze haar jas aan de kapstok en loopt de klas in.

'Heb je je verslapen?' zegt Rick plagerig als ze langs zijn tafeltje loopt. Mus steekt haar tong naar hem uit. Er is nu geen tijd meer om met hem te praten, ze moet wachten tot de pauze.

Ook deze ochtend lijkt eindeloos te duren. Alsof de tijd stilstaat. Mus maakt ongeduldig haar sommen en is blij als het eindelijk pauze is. Iedereen rent naar buiten. Mus trekt haar jas aan en gaat op zoek naar Rick. Hij loopt al buiten op het schoolplein, met een voetbal in zijn handen. Ze gaat naar hem toe en trekt aan zijn mouw. 'Rick, ik moet je spreken.'

'Kan het niet om drie uur?' vraagt Rick. 'We gaan nu een potje voetballen.'

Mus schudt haar hoofd. 'Het is belangrijk. Ik moet echt met je praten.' Ze kijkt hem indringend aan.

'Oké,' antwoordt Rick zuchtend. Met tegenzin trapt hij de bal naar Jan Veldkamp en roept: 'Ik doe niet mee.' De jongens protesteren heftig, en als ze zien dat Rick met Mus naar het fietsenhok loopt, beginnen ze te fluiten. Mus bloost, maar Rick doet net of hij het niet hoort. Hij gaat op de bagagedrager van zijn fiets zitten en kijkt haar aan. 'Nou, wat is er zo belangrijk?' vraagt hij.

Mus kan aan zijn stem horen dat hij flink baalt. Hij was veel liever gaan voetballen. 'Ik heb gisteren met de inspecteur gepraat,' zegt ze zachtjes. Ze leunt met haar rug tegen de muur van het fietsenhok.

'Nou, wat zei hij?'

Mus vertelt Rick wat er in de schuur is gebeurd.

'Dus de tas was leeg?' Rick kijkt haar ongelovig aan.

'Ja,' antwoordt Mus. 'Ik schaamde me rot.' Ze bijt op haar lip. 'Inspecteur Hardeman denkt dat ik alles verzonnen heb. Soms denk ik dat zelf ook, Rick.'

Rick zegt niets. Hij kijkt naar de jongens, die op het plein aan het voetballen zijn.

Mus haalt de ansichtkaart van de Taj Mahal uit haar zak en geeft hem aan Rick.

'Wat is dat?' vraagt hij.

'De Taj Mahal in India. Opa heeft deze kaart al zevendertig jaar aan een spijker op de geweerkast hangen.'

'Nou en?' zegt Rick.

Mus kijkt hem geërgerd aan. 'Wil je het horen of niet?'

'Oké,' mompelt Rick.

'Woensdagnacht werd ik midden in de nacht wakker,' begint Mus. 'Ik zag licht in de schuur branden en ben stiekem gaan kijken. Het was opa. Hij bladerde in een stapel reisfolders. Dat is vreemd, want wij gaan nooit op vakantie. Volgens mama kan De Oase nog geen week dicht, dat kost veel te veel geld.'

'Dus jouw opa wil een reis maken?' vraagt Rick.

'Daar lijkt het wel op, ja. Maar gisteren ontdekte ik dat het goud verdwenen is. Zonder dat goud kan hij zo'n reis nooit betalen.'

'Hij heeft het goud vast zelf uit de schuur gehaald,' zegt Rick. 'Dat kan toch? Hij probeert die sieraden ergens te verkopen. Hij kan het reisbureau moeilijk met gouden horloges betalen.'

'Ik weet het niet, Rick. Ik kan me nog steeds niet voorstellen dat mijn opa een dief is.'

'Nou, daar lijkt het anders verdacht veel op. Of …'

'Of wat?' dringt Mus aan.

'Of de inspecteur heeft gelijk en er bestaat helemaal geen tas met goud.'

Mus staart hem met open mond aan.

Rick doet of hij niets merkt en leest aandachtig de achterkant van de ansichtkaart. 'Deze kaart is van ene Lucas Weekhout. Mia weet vast wel wie dat is.' Hij staat op en loopt naar Mia, die een eindje verderop met Bea staat te praten.

Mus aarzelt, maar loopt toch achter Rick aan.

'Lucas Weekhout? Die ken ik, ja. Dat is een broer van mijn vader,' zegt Mia. 'Laat eens zien!' Ze leunt tegen Ricks schouder en bekijkt de kaart.

'Jee, dat handschrift is echt niet te lezen! Hoe kom je hieraan?' Rick wijst naar Mus.

'Ah, Mus, ben jij er ook. Wat gezellig!' Mia's stem klinkt vals. Mus wil het liefst weglopen. Weg van Mia. Weg van Rick. Weg van alles en iedereen. Maar ze doet het niet. Ze blijft staan.

'Jouw opa en oom Lucas waren vrienden,' zegt Mia dan. 'Dat heeft mama eens verteld. Ongelofelijk, hè?' Ze kijkt Mus uitdagend aan en leunt zwaar tegen Ricks schouder. Haar lange paardenstaart strijkt langs zijn wang.

'Weet je misschien waar je oom nu is?' vraagt Mus koeltjes.

'Pfff!' zucht Mia. 'Volgens mij woont hij in Indonesië of India. Of zoiets. Elk jaar met Kerstmis stuurt hij een kaartje. Verder horen we nooit iets van hem. Waarom wil je dat eigenlijk allemaal weten?' Ze kijkt Mus onderzoekend aan.

Mus haalt haar schouders op. 'Gewoon nieuwsgierig.'

'O,' zegt Mia poeslief. 'Nou snap ik het! Jij bent nieuwsgierig, maar je durft zelf niet naar me toe te komen, dus laat je je vriendje vragen hoe het zit.'

Mus wordt vuurrood. Ze wil wel iets zeggen, maar de woorden blijven steken in haar keel. Mia kijkt haar triomfantelijk aan. Dan pakt ze Bea bij de arm en samen lopen ze giechelend het schoolplein op. Mus kookt van ingehouden woede. 'Wat is die Mia toch vervelend!' sist ze.

'Vind je?' zegt Rick. 'Ik vind het nog wel meevallen.' Mus kijkt hem woedend aan, waarop hij begint te grijnzen en haar een por in haar zij geeft.

'Rick! Kom nou voetballen!' roept Jan Veldkamp. 'Straks is de pauze voorbij!'

Rick geeft Mus de kaart terug en rent zonder iets te zeggen naar de jongens.

Mus blijft alleen achter met de ansichtkaart onhandig in haar hand geklemd.

Als Mus thuiskomt, zet opa net een grote ladder tegen de muur. Freddy klimt met een stapel dakpannen onder zijn arm naar boven. Mus zet haar fiets op het grindpad en loopt de schuur in. Voor de geweerkast blijft ze staan. Ze haalt de ansichtkaart uit haar zak en hangt hem terug aan de spijker.

'Waarom zit jij aan mijn spullen?' Verschrikt kijkt Mus om. Opa staat in de deuropening met een bijl over zijn schouder. Hij kijkt haar met opgetrokken wenkbrauwen aan.

'Ik … ik vind het zo'n mooi gebouw,' antwoordt ze met een piepstemmetje.

Opa komt langzaam naar haar toe lopen, buigt zich over haar heen en kijkt naar de kaart. 'Ja, dat vind ik ook. Het is een prachtig gebouw, hè?' Opa's stem klinkt vriendelijk. Mus haalt opgelucht adem.

Opa wrijft over de scheur en hangt de kaart recht. 'De Taj Mahal is het beroemdste gebouw van India. En een van de zeven wereldwonderen. Wist je dat?' Mus schudt haar hoofd. 'Het is 58 meter hoog en 56 meter breed. Probeer je dat eens voor te stellen. Dat is gigantisch.'

'Ik vind het op een sprookjespaleis lijken,' zegt Mus zachtjes.

Opa knikt. 'Ja! Jazeker! Het is net een sprookjespaleis.' Hij staart dromerig naar de kaart.

'Zou je daar niet eens naartoe willen gaan?' vraagt Mus langs haar neus weg.

Opa wordt op slag lijkbleek en kijkt haar verward aan. Zijn donkere ogen schieten onrustig heen en weer. 'Hoe … hoe kom je daar nou bij?' stamelt hij.

Mus haalt haar schouders op en bijt op haar lip. Ondertussen loopt opa naar de werkbank, legt de bijl neer en staart door het raampje naar buiten. Hij zegt niets. Mus ook niet. Ze durft zich niet eens te bewegen. Had ik maar niets gevraagd, denkt ze bij zichzelf.

Opa zucht diep. 'Mus, ik wil dat je van mijn spullen blijft. Ik weet niet waar je nog meer hebt liggen rondneuzen, maar je blijft in het vervolg van mijn spullen! Begrepen?' Hij loopt naar haar toe en knijpt hard in haar bovenarm. 'Begrepen?' herhaalt hij. Zijn ogen spuwen vuur. Mus knikt angstig. 'En nu wegwezen! Ik moet weer aan het werk.'

Opa laat haar los en Mus rent de schuur uit, over het grindpad, naar het huis. Binnen rent ze de trap op naar haar kamer en slaat de deur dicht.

Poeh! Opa kan hard knijpen. Mus wrijft over haar pijnlijke arm. En wat was hij kwaad! Ze gaat languit op haar bed liggen en staart naar het plafond. Boven haar hoofd klinkt geschuifel.

'Freddy,' mompelt ze. 'Hij loopt op het dak. Mijn dak.' Ze denkt aan de ijskoude blik waarmee hij haar vanochtend aankeek. De vreemde glans in zijn ogen. Haar maag krimpt ineen. En dan schiet het haar te binnen dat ze hem ook zo naar opa heeft zien kijken. Zondag. Toen ze met zijn allen aan de keukentafel zaten. Zou Freddy iets van opa weten? Iets wat ik nog niet weet? Zou Freddy van het goud weten? Heeft Freddy er dan ook mee te maken?

Mus springt van haar bed en ijsbeert onrustig door de kamer. Het wordt steeds ingewikkelder. Misschien is het allemaal toeval. Freddy heeft er waarschijnlijk niets mee te maken. Ik kan het me niet voorstellen. Of toch? Mus blijft staan en hoort Freddy over de pannen lopen. En dan denkt ze aan de woorden van inspecteur Hardeman. *Op dit moment denk ik niet zoveel. Ik kijk, ik luister en ga mijn neus achterna. Misdaad kun je namelijk ruiken.*

Mus neemt een besluit en loopt haar kamer uit, de gang in. Haar hart begint sneller te kloppen als ze voor Freddy's deur blijft staan. De deur zit niet op slot. Snel glipt ze naar binnen. Freddy's kamer is een zootje. Overal liggen kleren en tijdschriften op de grond. Het bed is niet opgemaakt en de prullenmand puilt uit. De wastafel staat vol flesjes. Mus loopt ernaartoe. *Ocean Breeze*, staat er op een blauw flesje met een gouden dop. Mus pakt het flesje en draait de dop eraf. Het ruikt heerlijk. Mus draait de dopjes van alle flesjes en ruikt eraan.

Wat heeft Freddy veel flesjes! Deodorant, douchegel, verschillende soorten aftershave en shampoo. Het ene ruikt nog lekkerder dan het andere. Eén flesje stinkt zo verschrikkelijk dat de tranen in haar ogen springen. *Zwart*, staat er op het etiket. En *haarverf*. Wat moet Freddy nou met haarverf? vraagt Mus zich af. Ze haalt haar schouders op en loopt naar de kleerkast.

Nieuwsgierig trekt ze de kastdeur open. Onderin staan twee bruine, leren koffers. Op één plank ligt een slordige stapel kleren. Verder is de kast leeg. Mus bukt zich en trekt een koffer tevoorschijn. Op dat moment gaat de deurklink naar beneden. Razendsnel duwt Mus de koffer terug in de kast en duikt onder het bed. De deur gaat open en Freddy komt de kamer binnen.

Hij doet de deur achter zich op slot en gaat kreunend op het bed liggen. Mus houdt haar adem in terwijl Freddy zijn schoenen uittrekt en ze een voor een naast het bed op de grond laat vallen.

'Dat rotbeest!' mompelt Freddy.

Mus blijft doodstil liggen en vraagt zich af waar hij het over heeft.

Dan stapt Freddy uit bed en loopt naar de wastafel. Hij doet de spiegelkast open en haalt er een rolletje verband, pleisters en een tube zalf uit. Mus ziet dat hij zijn rechterbeen op een stoel zet en zijn broekspijp omhoogrolt. Ze snakt naar adem als ze de lelijke wond op zijn kuit ziet. De huid eromheen is vuurrood en opgezet.

Het lijkt wel of hij gebeten is. Er staan tandafdrukken in zijn been. Freddy pakt de tube en smeert zalf op de wond. Daarna wikkelt hij verband om zijn kuit en plakt het vast met pleisters. Hij loopt weer naar het bed en bukt zich om zijn schoenen te pakken. Hij is zo dichtbij dat Mus hem hoort ademen. Angstig knijpt ze haar ogen dicht, maar er gebeurt niets. Freddy staat op, trekt zijn schoenen aan en loopt de kamer uit. Mus hoort dat hij de deur achter zich op slot draait. Daarna verdwijnen zijn voetstappen in de gang.

'Hij heeft me niet gezien,' fluistert ze opgelucht. Gelukkig! Trillend kruipt ze onder het bed vandaan. Freddy is gebeten door een of ander beest. Daarom sleept hij met zijn been ...

Mus wil zo snel mogelijk de kamer uit. Aangezien de deur op slot zit, loopt ze naar het raam, doet het open en klimt naar buiten. De frisse lucht vult haar longen. Ze voelt zich meteen een stuk beter. Het is ongeveer tien meter lopen naar haar eigen

slaapkamer. Mus zet haar voeten in de dakgoot. Ze moet uitkijken dat ze niet uitglijdt, want hij ligt vol bladeren. Voetje
voor voetje schuifelt ze door de dakgoot. Bij elke stap denkt ze
aan Freddy. Zijn hemelsblauwe ogen, zijn lelijke wond, zijn stra-
lende glimlach, zijn duistere blik, zijn stroblonde haar.

Wie is Freddy eigenlijk? denkt Mus vertwijfeld. En waarom
doet hij zo geheimzinnig? Waarom vertelt hij niet dat hij gebeten is? Het lijkt eindeloos te duren voor ze bij haar slaapkamerraam is. Opgelucht kruipt ze naar binnen.

13   De inbraak

Zaterdagochtend komt Rick langs. Mus zit ongemakkelijk tegenover hem aan de keukentafel terwijl Maria een glaasje limonade voor hen inschenkt.

'Wat gezellig dat je langskomt!' zegt Maria vrolijk. 'Nou, jullie vermaken je wel, hè? Dan ga ik de eetzaal stofzuigen.' Neuriend loopt ze door de klapdeuren naar de eetzaal.

Mus voelt zich opgelaten en Rick schuift onrustig op zijn stoel heen en weer. 'Ik deed gisteren op school misschien een beetje flauw,' begint hij. 'Maar toen jij vertelde dat die sporttas leeg was, dacht ik hetzelfde als de inspecteur. Ik dacht dat je het allemaal had verzonnen …'

'Waarom zou ik dat doen!' roept Mus verontwaardigd.

'Misschien om mijn aandacht te krijgen,' zegt Rick zachtjes. 'Er wordt op school over ons gepraat. Volgens Mia Weekhout ben je verliefd op mij.'

Mus kijkt snel de andere kant op en bloost. 'Geloof jij Mia Weekhout?' roept ze dan boos. 'Als er iemand dingen verzint, is zij het wel! Zij is de ergste roddeltante van de hele school!' Mus bijt op haar lip. Haar hoofd is vuurrood.

Rick grinnikt. 'Oké, oké! Sorry, Mus.' Rick kijkt haar smekend aan.

Mus ziet de pretlichtjes in zijn ogen en geeft hem een schop onder de tafel.

'Au! Pas een beetje op, hè! Dat zijn mijn voetbalbenen,' zegt

Rick plagerig. Ze schieten allebei in de lach. 'Ik heb iets nieuws ontdekt,' zegt Rick.

'Wat dan?' vraagt Mus nieuwsgierig. Ze is blij dat Rick over iets anders begint.

Rick kijkt even naar de klapdeuren. Maria is nergens te zien. Je hoort alleen het geluid van de stofzuiger. 'Er is donderdagnacht ingebroken bij Weekhout.'

'Hè?' zegt Mus. 'Maar daar heeft Mia op school niets van gezegd.'

Rick knikt. 'Weekhout wil niet dat iemand het weet. Hij heeft zelfs de politie niet gebeld.'

'Maar hoe weet jij dat dan?' vraagt Mus.

'Ik was gistermiddag na school bij Jan Veldkamp toen de telefoon ging. Jan nam op en had Weekhout aan de lijn. Volgens Jan was die behoorlijk in de war. Hij zei dat er een geest ronddwaalde die zijn hond had vermoord en hij wilde Veldkamp waarschuwen. Veldkamp zat een hele tijd met hem te praten en het duurde lang voor hij Weekhout kon kalmeren. Ik heb hem ook horen vragen of de inbreker alle gouden sieraden meegenomen had.'

'Was de hond dood?' onderbreekt Mus hem. Haar hart begint sneller te kloppen.

'Ja, de hond lag dood in de tuin. Vergiftigd. Veldkamp zei dat hij hem naar het crematorium ging brengen.'

'En niemand belde de politie?'

'Nee,' zegt Rick. 'Vreemd, hè?'

Mus denkt koortsachtig na. Ze ziet de grote tanden van Wodan weer voor zich en de lelijke wond aan Freddy's been. Er loopt een koude rilling over haar rug.

'Wat is er?' vraagt Rick bezorgd.

'Freddy is gebeten door een hond,' zegt Mus langzaam. 'De tanden staan in zijn kuit.'

'Hè?' Rick kijkt haar geschrokken aan.

'Ja, echt waar. Ik heb het zelf gezien. Het is een nare wond. Freddy probeert het te verbergen, maar als je goed kijkt, zie je dat hij een beetje met zijn been sleept.'

Rick wordt lijkbleek. 'Denk je … dat Freddy bij Weekhout heeft ingebroken?' vraagt hij aarzelend.

Mus knikt. 'Wodan heeft Freddy vast gebeten toen hij aan het inbreken was. Maar waarom doet Freddy dat? Ik begrijp er niets meer van.' Mus zucht diep. 'Freddy doet de laatste tijd vreemd tegen opa. Alsof hij iets van hem weet. Hij keek mij gisteren ook heel dreigend aan.'

'Waarom keek hij jou dreigend aan?'

'Gisterochtend stond ik naar hem te kijken toen hij een tak in stukken aan het zagen was. Hij zag er niet goed uit, alsof hij pijn had. Zijn been deed natuurlijk zeer. Hij merkte dat ik naar hem stond te kijken en toen keek hij me heel dreigend aan. Echt eng. Ik snapte er niets van. Hij is anders altijd zo aardig.'

'Hmm,' zegt Rick. 'Hij voelde zich vast betrapt.'

'Dus Freddy heeft bij Weekhout ingebroken,' begint Mus aarzelend. 'Maar het is misgegaan. De waakhond valt hem aan en Weekhout komt naar beneden.'

'Precies,' zegt Rick. 'Weekhout schrikt zich te pletter. Hij denkt dat er een geest in zijn huis rondloopt en geeft het spook alles waar het om vraagt.'

'Waarom denkt hij dat er een geest in zijn huis rondloopt?' vraagt Mus.

Rick haalt zijn schouders op. 'Weekhout is een bange man. Freddy heeft daar gebruik van gemaakt en hem de stuipen op het lijf gejaagd.'

'Maar hoe?' dringt Mus aan.

'Dat weet ik toch ook niet,' antwoordt Rick geërgerd. 'Misschien had hij zich wel als spook verkleed.'

'Maar Weekhout belt de politie niet,' zegt Mus. 'En waarom niet?'

'Omdat Weekhout zelf een dief is. Hij heeft die gouden sieraden gestolen van de vermoorde man. Samen met jouw opa en de andere jagers. Wedden?'

'Pfff!' zucht Mus. 'Ik krijg er kippenvel van! Wat moeten we doen?'

'We moeten de politie waarschuwen.'

'Ik weet het niet, Rick. Hebben we wel voldoende bewijsmateriaal? Ik ben bang dat Hardeman me weer niet gelooft.'

'Onzin!' roept Rick. 'We gaan hem bellen. Nu meteen.'

14   Het motief

'Hoofdbureau van de politie!'

Mus schraapt haar keel. 'U spreekt met Mus.'

'Met wie?' vraagt de vrouwenstem aan de andere kant van de lijn.

'Met Mus Fonteijn. Is inspecteur Hardeman er ook?'

'Jazeker. Momentje!'

Mus zit op mama's draaistoel achter het bureau in de hal. Ze tikt zenuwachtig met het kaartje van de inspecteur op het bureaublad. Rick staat op de uitkijk.

'Inspecteur Hardeman!' klinkt het in haar oor.

'Hallo inspecteur. U spreekt met Mus Fonteijn.'

'Hallo Mus! Alles goed met je?' vraagt Hardeman vriendelijk.

'Ja, hoor,' antwoordt Mus.

'Gelukkig!' zegt Hardeman. 'Ik ben blij dat je belt, want ik heb goed nieuws voor je.'

'O, ja?' stamelt Mus verward.

'Ik denk dat ik je mijn excuses moet aanbieden.'

'Waarom?'

'Omdat het laboratorium goudsporen heeft ontdekt in de sporttas die jij hebt gevonden. Je had gelijk, er heeft echt goud in die tas gezeten.'

Mus zegt niets. Maar op haar gezicht verschijnt een brede glimlach.

'Mus? Mus?! Ben je er nog?'

'Jazeker, inspecteur!' antwoordt Mus haastig.

'Een collega van mij kijkt op dit moment na of er een verband is tussen het goud in de tas en Willem Buitinga.'

'Willem Buitinga?' vraagt Mus.

'Ja, zo heet de man uit de vriezer. Dankzij jou hebben we in elk geval een motief.'

'Een wat?'

'Een motief,' herhaalt Hardeman. 'Een reden om iemand te vermoorden. Een tas vol gouden sieraden is veel geld waard. Heel veel geld.'

Rick begint te gebaren dat ze op moet schieten. Er komt iemand aan.

'Inspecteur, we hebben nog meer ontdekt,' zegt Mus vlug.

'We?' vraagt Hardeman.

'Ja,' zegt Mus. 'Rick helpt me bij het onderzoek.'

'Aha!' roept de inspecteur. 'Jij bent een eigen onderzoek begonnen. En je hebt een medewerker.'

Mus knikt, terwijl Rick wild gebaart dat ze op moet hangen. 'We moeten u zo snel mogelijk spreken. Het is belangrijk.'

'Juist,' zegt de inspecteur.

Terwijl Mus hem in zijn agenda hoort bladeren, gaat de buitendeur open en Freddy komt binnen. Hij kijkt Rick verbaasd aan. Rick kijkt paniekerig naar Mus en Freddy volgt zijn blik.

'Morgenmiddag om een uur of vier. Is dat vroeg genoeg?' vraagt Hardeman.

Freddy loopt langzaam naar Mus toe.

'Oké,' fluistert ze. 'Maar niet hier. Bij ... bij het benzinestation. Nu moet ik ophangen,' zegt ze snel, en ze verbreekt de verbinding.

Freddy buigt zich over haar heen en pakt het kaartje van het bureau. 'Bel jij met de politie?' vraagt hij nieuwsgierig. Dan draait hij de draaistoel met een ruk om en kijkt haar onderzoekend aan. Hij staat nog steeds over haar heen gebogen. 'Vertel eens, Mus, wat weet jij eigenlijk allemaal? Weet jij al wie de moordenaar is?'

Mus snakt naar adem. Freddy's hemelsblauwe ogen boren zich diep in de hare. Ze voelt zijn warme adem in haar gezicht. De geur van Ocean Breeze prikkelt haar neus.

'Speurwerk is niets voor kinderen,' fluistert hij in haar oor. 'Veel te gevaarlijk. Als ik jou was, zou ik er maar snel mee ophouden. Voor er ongelukken gebeuren.' Zijn stem klinkt zacht, maar tegelijk zo dreigend dat Mus er kippenvel van krijgt. Het liefst wil ze wegrennen, maar Freddy houdt de stoel in een ijzeren greep.

'Freddy!' roept mama. 'Wat ben jij aan het doen?' Mama staat bij de plantenbak en kijkt hen met gefronste wenkbrauwen aan.

Mus voelt dat Freddy schrikt, maar hij herstelt zich meteen. Hij laat de draaistoel los en tovert een charmante glimlach op zijn gezicht. Mus haalt opgelucht adem. 'Rosa, ik zit je dochter een beetje te plagen,' zegt Freddy. 'Nietwaar, Mus?' Freddy geeft haar een knipoog.

Wat een griezel, denkt Mus, maar ze zegt niets. Dit is niet het moment om Freddy tegen te spreken. Bovendien wil ze niet dat mama weet dat ze met de inspecteur heeft gebeld.

Freddy loopt naar mama en slaat speels een arm om haar heen.

'Nou, pestkop, heb je alle boodschappen?' vraagt mama plagerig. Ze kijkt met een schuin oog naar Mus om te zien of alles in orde is. Mus doet verschrikkelijk haar best om naar haar te glimlachen.

'Ik heb alles!' antwoordt Freddy vrolijk. 'Alleen nog even uitpakken.' Hij doet of er niets aan de hand is en loopt gezellig pratend met mama naar buiten.

Rick heeft zich al die tijd niet bewogen, nu rent hij snel naar Mus. 'Gaat het?' vraagt hij bezorgd. Mus knikt. 'Sorry, dat ik je niet kwam helpen. Ik wist gewoon niet zo gauw wat ik moest doen. Je hebt gelijk, Freddy is echt een engerd!'

15 Horen, zien en zwijgen

Ricks vader kijkt verbaasd op als ze zondagmiddag met z'n drie-
en zijn benzinestation in stappen. Hij heeft hetzelfde golvende
blonde haar als Rick.

'Toch geen problemen, hoop ik?' vraagt hij aan de inspecteur.

'Welnee,' antwoordt Hardeman. 'We hebben alleen honger.
En dorst.'

Ricks vader moet lachen. 'Gaan jullie dan maar even in het
kantoortje zitten. Dan breng ik wel een broodje kroket.'

'En een kopje koffie, alstublieft!' roept Hardeman. 'Met drie
klontjes suiker.'

Rick loopt voor hen uit naar een deur waar *Privé* op staat.
Het kantoortje is een kleine, kale ruimte. Er staat een tafel met
stoelen en er hangt een prikbord aan de muur. In een stalen kast
staat een rij kartonnen mappen. Het ruikt er naar sigaretten.

Mus kijkt door het raampje naar buiten. Ze ziet de rijksweg,
de weilanden en De Oase.

Even later brengt Ricks vader drie broodjes kroket, twee
glaasjes limonade en een kopje koffie voor de inspecteur. Daarna verdwijnt hij weer door de deur.

'Zo,' zegt Hardeman. 'Vertel me nu maar eens wat jullie hebben ontdekt.'

Mus en Rick kijken elkaar aan. Dan beginnen ze te praten. In
een stortvloed van woorden vertellen ze de inspecteur alles wat
ze de afgelopen dagen hebben ontdekt. Soms praten ze door el-

kaar heen. Soms vullen ze elkaar aan. Inspecteur Hardeman eet ondertussen zijn broodje kroket en drinkt zijn kopje koffie.

'En daarom hebben we u opgebeld,' zegt Rick ten slotte. Mus zwijgt. Ze kijken allebei naar Hardeman. Die veegt zorgvuldig zijn mond af aan een servetje. Dan vraagt hij: 'Staan hier eiken-bomen in de buurt?'

'Eikenbomen?' herhaalt Mus verbaasd. 'Wat hebben die er nou mee te maken?'

'Alles,' antwoordt Hardeman. 'In die sporttas zijn niet alleen goudsporen gevonden, maar ook sporen van bosgrond en eikels.'

Mus en Rick kijken elkaar verwonderd aan.

'Midden in het bosje staat een grote eikenboom,' zegt Mus langzaam.

'Ik denk dat we daar eens een kijkje moeten gaan nemen,' zegt Hardeman. 'Voor het donker wordt.' Zonder verder iets uit leggen staat hij op en loopt naar buiten.

Mus en Rick lopen achter hem aan.

'Waar is dat bosje?' vraagt de inspecteur als ze buiten staan.

Mus wijst naar de overkant van de weg. 'Als we hier oversteken en het zandpad volgen, komen we er vanzelf. Het bos ligt achter De Oase.'

Ze steken over en lopen met z'n drieën over het zandpad tussen de weilanden. Het begint zachtjes te regenen.

'Wat zoeken we eigenlijk?' vraagt Rick.

'Sporen,' antwoordt Hardeman.

'Waarvan?' vraagt Mus.

Hardeman antwoordt niet, maar stapt stevig door. Ze springen over de sloot en lopen het bos in.

'De eikenboom staat in het midden?' vraagt Hardeman.

'Ja, hierlangs.' Mus wijst de weg.

Even later staan ze op een open plek voor een reusachtige eikenboom. De stam is wel twee meter breed en zijn dikke takken reiken tot aan de hemel. Zo lijkt het tenminste.

De inspecteur loopt in cirkels om de eikenboom heen, met zijn blik op de mossige grond gericht.

Mus en Rick staan naar hem te kijken. Wat zoekt hij toch? vraagt Mus zich af.

Plotseling blijft de inspecteur staan. 'Aha!' roept hij.

Mus en Rick lopen nieuwsgierig naar hem toe.

'Kijk,' zegt Hardeman. 'Hier groeit geen mos. Hij schuift met zijn schoen de bladeren opzij. De aarde is donker. 'Er is hier gegraven. Nog niet zo lang geleden. Hier, vlak naast deze grote kei.'

Mus staart naar de zwarte aarde. 'Denkt u dat die sporttas hier in de grond heeft gezeten?' vraagt ze verward.

'Binnenkort weten we het zeker,' antwoordt Hardeman. 'Ik stuur een paar mensen om deze plek te onderzoeken.' Hij gaat op de kei zitten en kijkt Mus aan. 'Jij vertelde me dat er een gouden aapje in de tas zat. Dat is best bijzonder. We hebben het nagetrokken, maar bij de overvallen van de laatste maanden zijn geen gouden aapjes gestolen. Het leek een dood spoor. Tot we wisten wie de man uit de vriezer was.'

Mus kijkt de inspecteur vragend aan.

'Willem Buitinga was een beruchte inbreker. Hij was lid van een juwelenbende. Ruim twee jaar geleden, bij de laatste overval die de bende heeft gepleegd, zijn drie gouden aapjes gestolen. Ze beelden 'horen', 'zien' en 'zwijgen' uit. Samen zijn ze een fortuin waard. De politie heeft de bende opgerold, maar de gouden aapjes zijn nooit teruggevonden.'

'Hebben die aapjes hier twee jaar in de grond gezeten?' vraagt Rick ongelovig.

'Daar lijkt het wel op,' antwoordt Hardeman. 'Samen met de andere sieraden.'

'Maar wie heeft ze dan opgegraven?' vraagt Mus.

'Dat is een heel goeie vraag,' zegt de inspecteur.

Mus denkt na. 'Denkt u dat Willem Buitinga terug is gekomen om het goud op te graven?' Hardeman knikt. 'Maar … maar hoe komt het dan bij ons in de schuur?'

'Tja …' De inspecteur kijkt peinzend voor zich uit.

'Denkt u dat de jagers hem hebben beroofd en … vermoord?' vraagt Rick.

Hardeman haalt zijn schouders op. 'De motor van Willem Buitinga stond op de camping en we hebben hem onderzocht. Er zaten kogeltjes in het metaal.'

'Wat betekent dat?' vraagt Rick.

'Hij is beschoten met een schot hagel,' antwoordt Hardeman. 'Maar dat was voor hij vermoord is. Freddy heeft de deuken in de motor immers gezien toen Willem in De Oase soep kwam eten.'

'Ik snap er niets meer van,' zegt Rick.

'Willem Buitinga's papieren zijn zoek,' gaat Hardeman verder. 'We hebben niks gevonden. Geen paspoort, geen portemonnee, niks. Waarschijnlijk heeft de moordenaar ze meegenomen.'

'Maar waarom?' vraagt Mus.

'Geen idee,' antwoordt Hardeman. 'Er zijn veel vragen waar ik nog geen antwoord op heb. De jagers zijn stijfkoppen. Ik heb ze inmiddels allemaal verhoord, maar ze geven geen krimp. Zolang zij blijven zwijgen en wij het goud niet hebben, valt er niets te bewijzen.' De inspecteur kijkt van Mus naar Rick en weer terug. 'Maar dankzij jullie heb ik een nieuw aanknopingspunt. Ik ga uitzoeken wie Freddy is. Zijn papieren leken in orde, maar misschien hebben we iets over het hoofd gezien. Jullie hebben prima speurwerk verricht. Mijn complimenten! Jullie zouden me een groot plezier doen als jullie de jagers in de gaten blijven houden. Misschien verraden ze zichzelf. Maar wees voorzichtig, want ze zijn flink in paniek. Ik wil niet dat jullie jezelf in gevaar brengen. Als de jagers of Freddy iets verdachts doen, waarschuw me dan meteen. Afgesproken?'

'Afgesproken,' antwoordt Mus.

'Oké,' zegt Rick.

De inspecteur staat op van de kei en met z'n drieën lopen ze door de motregen terug naar het benzinestation. Ieder verzonken in zijn eigen gedachten.

Maandagochtend zit Mus te ontbijten aan de keukentafel. Met trage bewegingen smeert ze een boterham. Het is herfstvakantie, dus ze hoeft deze week niet naar school. De krant ligt op tafel en Willem Buitinga staart haar vanaf de voorpagina aan. VERMOORDE MAN IS BEKEND BIJ POLITIE, staat er boven de foto. Mus leest het artikel.

Inspecteur Hardeman maakte gisteravond op een speciale persconferentie de identiteit van het slachtoffer van de zogenaamde vriezermoord bekend. Het gaat om de eenendertigjarige Willem Buitinga, die afkomstig is uit de hoofdstad.

Buitinga was lid van een beruchte juwelenbende. Twee jaar geleden wist de politie de bende op te rollen en vier leden te arresteren. Een van hen is nog steeds voortvluchtig. Willem Buitinga kwam wegens goed gedrag eerder vrij. Twee maanden geleden is hij uit de gevangenis ontslagen.

Mus draait de krant om. Ze wil niet langer naar het gezicht van Buitinga kijken. Het bederft haar eetlust. Ze neemt een hap van haar boterham en schenkt een glas melk in. Opa zit tegenover haar aan tafel. Hij is zijn geweer aan het poetsen. Een agent heeft het gisteravond teruggebracht. Zachtjes wrijft hij met een doek over de loop. Naast hem op tafel ligt een doosje kogels.

Straks haalt hij de trekker nog over, denkt Mus. Gewoon,

per ongeluk. Er loopt een koude rilling over haar rug. Ze draait zich om naar Maria, die aan het stofzuigen is. 'Waar is Freddy eigenlijk?' vraagt ze.

Opa kijkt op van zijn geweer.

'Freddy is boodschappen aan het doen,' roept Maria boven het geluid van de stofzuiger uit. 'Ik hoorde hem vanochtend al heel vroeg met de auto wegrijden. Til je voeten eens op!' Maria schuift de stofzuiger onder de stoel van Mus door. 'Mus, heb jij misschien mijn skelettenpak gezien?'

'Wat?' roept Mus. Ze verslikt zich in haar boterham.

Maria zet de stofzuiger uit. 'Heb ik jou misschien mijn carnavalspak geleend? Mijn skelettenpak?'

'Ik … eh … ik heb het niet,' antwoordt Mus hoestend.

Maria kijkt haar verwonderd aan. 'Je hoeft niet zo te schrikken, hoor. Ik dacht al dat je het niet had. Het is veel te groot voor jou.' Maria zucht. 'Ik snap niet waar ik het gelaten heb. Het hangt niet meer in mijn kast.' Ze haalt haar schouders op en zet de stofzuiger weer aan.

Opa kijkt naar Mus. Ze voelt zijn onderzoekende blik over haar heen glijden, maar doet net of ze het niet merkt en eet kalm verder. Maar vanbinnen is Mus allesbehalve rustig. Zou Freddy dat skelettenpak uit Maria's kast hebben gehaald? Zou hij verkleed als skelet bij Weekhout hebben ingebroken?

's Middags gaat Mus met Rick naar de kermis. Elk jaar in de herfstvakantie is er een kermis in het dorp. De attracties staan in een weiland, vlak bij de sportvelden. Mus houdt van de kermis en het meest van het reuzenrad.

'Kom op, Rick,' smeekt Mus. 'Eén rondje. Ik trakteer.'

'Oké dan,' zucht Rick. 'Eén rondje.' Schoorvoetend loopt hij achter haar aan naar het reuzenrad.

Mus koopt kaartjes en even later gaan ze omhoog. Op het hoogste punt stopt het reuzenrad. Mus geniet van het uitzicht en leunt ontspannen achterover in het bakje. 'Weet je wat Maria me vanochtend vroeg?'

'Nou?' vraagt Rick afwezig. Hij voelt zich duidelijk niet op zijn gemak.

'Ze vroeg of ik haar skelettenpak had geleend. Ze is het kwijt. Het hing in haar kast, maar ze kan het nergens meer vinden.'

'Dan zou mijn theorie van de verklede inbreker weleens kunnen kloppen,' zegt Rick.

'Waar zou Freddy dat pak gelaten hebben?' vraagt Mus.

'Nou, reken maar dat hij dat goed heeft verstopt,' antwoordt Rick. 'Dat heeft hij heus niet in zijn kast gehangen.'

'Nee,' zegt Mus. 'Nee, dat zal wel niet.' Ze denkt aan haar bezoekje aan Freddy's kamer. Ze heeft inderdaad nergens een skelettenpak gezien.

Het reuzenrad zet zich weer in beweging. Rick houdt zich krampachtig vast aan de rand van het bakje. Mus kan er niets aan doen, maar ze moet er een beetje om lachen.

Rick ziet het. 'Ja, lach jij maar. Jij wilt koorddanseres worden. Jij wilt de lucht in. Ik niet.' Hij is duidelijk opgelucht als ze weer veilig beneden zijn.

'Nu mag jij kiezen,' zegt Mus. 'Wat zullen we nu doen?'

'Hé, stervoetballer!' roept er plots iemand. Mia Weekhout en Bea de Haan komen op hen af. Ze hebben allebei een grote suikerspin in hun hand. Mia begint meteen te slijmen tegen Rick. 'Wil je een hapje van mijn suikerspin?'

'Lekker!' Rick neemt een grote hap van Mia's suikerspin. Zijn kin zit onder het kleverige roze spul. Mia en Rick moeten er allebei om lachen.

'Dat lust jij zeker niet, hè?' zegt Mia. Haar stem klinkt vals. 'Jij bent zo mager, jij snoept vast nooit.' Mus kijkt Mia met een vernietigende blik aan. Bea proest van het lachen achter haar suikerspin.

'Hoe gaat het met je vader?' vraagt Rick.

'Niet zo goed.' Mia trekt een pruilmondje en kijkt naar de grond. 'Papa is nog steeds in de war. Hij mist Wodan. Het was ook zo'n lieve hond.' De tranen springen in haar ogen.

Wat een aanstellerij, denkt Mus.

'Als je vader het goed vindt, kan ik deze vakantie wel in de winkel helpen,' stelt Rick voor. 'Dan kan hij het een beetje rustiger aan doen.'

Mus kijkt Rick met grote ogen aan en haar mond valt open van verbazing.

Mia is duidelijk ook verrast. Ze geeft haar suikerspin aan Bea en valt Rick spontaan om de hals. 'Wat ben jij toch een schat! Ik ga het papa meteen vragen als ik thuiskom en dan bel ik je op, oké?'

'Oké,' zegt Rick lachend.

Mia geeft Rick een luchtkus, pakt Bea bij de arm en samen lopen ze giechelend weg in de richting van het spookhuis.

'Waar ben jij nou mee bezig?' vraagt Mus geërgerd. 'Probeer je Mia soms te versieren?'

'Nee,' zegt Rick. 'Snap je het dan niet? Ik doe dit voor ons onderzoek. Als ik in de winkel help, kan ik Weekhout in de gaten houden.'

Mus heeft zich van hem weggedraaid en staart boos in de verte.

'Hé, Mus. Kom op. Doe niet zo flauw. Het is toch een prima idee? Je bent toch niet jaloers, hè? Nee, toch?'

'Nee, natuurlijk niet,' antwoordt Mus vlug. Ze voelt dat ze bloost. 'Ik mag Mia gewoon niet. Dat is alles.'

'Geloof mij nou maar, Mus. Dit is een prima plan. En trouwens, ik ben niet verliefd op Mia als je dat soms denkt.'

'Dat denk ik helemaal niet,' liegt Mus.

'Nou, kom dan. We gaan naar de botsautootjes. Ik mocht toch kiezen?' Rick rent over het kermisterrein naar de botsautootjes.

En Mus rent opgelucht achter hem aan.

17 Goud met pootjes

's Avonds belt Rick haar op.

'Hé, Mus! Raad eens? Mia heeft me net gebeld en ik kan morgen al in de winkel beginnen.' Hij klinkt enthousiast.

'Ja, dat geloof ik best. Mia zal haar ouders wel zover gekregen hebben. Ze krijgt altijd haar zin.'

'Begin je nou weer?' vraagt Rick geërgerd.

'Sorry,' zegt Mus. Ze bloost, maar gelukkig kan Rick dat niet zien. 'Weet je wat? Ik kom morgen wel even langs.'

'Oké, tot morgen!' Rick verbreekt de verbinding.

De volgende dag om een uur of elf stapt Mus de huishoudwinkel van Weekhout binnen. De winkelbel rinkelt en Rick komt achter een kast tevoorschijn.

'Hé, Mus!' Hij is duidelijk blij om haar te zien.

'Hoi Rick! En? Bevalt het werk je een beetje?'

Rick knikt.

'Maria heeft stofzuigerzakken nodig. Jullie verkopen toch wel stofzuigerzakken?'

'Die liggen achterin, bij de schoonmaakartikelen. Kom maar mee.'

Mus loopt achter hem aan, de winkel in. Ze lopen langs rijen rekken vol kopjes, borden, pannen, bestek, vazen en plastic emmers. Rick slaat een keer rechtsaf en daarna linksaf.

'Het lijkt hier wel een doolhof,' mompelt Mus.

Ergens halverwege de winkel trekt Rick haar achter een rek.

'Wat doe je nou?' protesteert Mus.

Rick houdt een vinger voor zijn mond en gaat op de grond zitten. Hij gebaart Mus hetzelfde te doen.

'Wat is er nou?' fluistert ze.

Rick kijkt tussen de planken van het rek door. Mus volgt zijn blik. Hij gluurt naar een deur achter in de winkel. De deur staat op een kier. 'Veldkamp is hier. Tien minuten geleden kwam hij de winkel binnen lopen. Hij zei tegen mevrouw Weekhout dat de jagers vanavond een belangrijke vergadering houden. Bij hem thuis. Hij wil graag dat Weekhout ook komt. Mevrouw Weekhout is met hem meegelopen naar het woonhuis. Ze vroeg of ik even op de winkel wilde passen.'

Er klinken stemmen en de deur achter in de winkel zwaait open. Mus en Rick duiken weg. Mus ziet de benen van Veldkamp vlak langs het rek lopen. Mevrouw Weekhout loopt achter hem aan.

'Ik ben blij dat het wat beter gaat met Johannes, Ada.' Veldkamp klinkt opgewekt. 'Gelukkig kan hij er vanavond gewoon bij zijn. Acht uur scherp! Niet vergeten!' Hij loopt meteen naar buiten.

'Tot ziens, Marius!' roept mevrouw Weekhout hem na. Daarna kijkt ze zoekend de winkel rond. Rick staat snel op.

'Ah, Rick! Daar ben je! Is alles goed gegaan?' vraagt ze vriendelijk.

'Ja,' antwoordt Rick. Mus gaat ook staan en kijkt over het rek naar mevrouw Weekhout, die haar verbaasd aankijkt.

'Wat doe jij daar nou?'

'Ik … eh … eh …' stamelt Mus.

'Mus komt stofzuigerzakken kopen. Toch?' zegt Rick snel. Mus knikt en mevrouw Weekhout fronst haar wenkbrauwen. 'De stofzuigerzakken liggen achterin, bij de schoonmaakartikelen,' zegt ze koeltjes. 'Of was je dat vergeten, Rick?'

Rick antwoordt niet, maar loopt met Mus naar het rek met stofzuigerzakken. 'Vanavond kom ik je ophalen. Verzin maar een smoes waardoor je weg kunt. Oké?' Mus knikt. 'Als we om halfacht afspreken, zijn we ruim op tijd bij Veldkamp. We moeten weten wat de jagers van plan zijn.'

Mevrouw Weekhout kucht. 'Lukt het, kinderen?'

'Ja, mevrouw,' antwoordt Rick vlug. 'Welke maat heb je nodig?' vraagt hij aan Mus.

'Die.' Mus wijst een pak aan en Rick haalt het van het rek.

'Nou, tot vanavond dan,' fluistert hij.

Mus knikt en loopt met de stofzuigerzakken naar de kassa. Ze rekent af en als ze naar buiten loopt, voelt ze de afkeurende blik van mevrouw Weekhout in haar rug prikken.

Met de stofzuigerzakken onder haar arm loopt ze terug naar De Oase. Ze is halverwege het grindpad als ze Veldkamp ziet. Hij staat bij opa in de schuur en leunt met zijn zware lijf tegen de werkbank. Hij nodigt opa natuurlijk ook uit voor de vergadering vanavond, bedenkt Mus.

'Ineens zette hij die sporttas voor mijn neus!' hoort ze hem roepen.

Nieuwsgierig sluipt ze dichterbij.

'En? Wat zei je?' vraagt opa.

'Wat denk je? Natuurlijk zei ik dat ik hem nooit eerder had gezien.'

'Geloofde hij je?'

'Dat doet er niet toe. Zolang wij niets zeggen, kan hij ons niets maken.'

'En … eh … het goud?'

'Dat vraag ik me dus ook af, Herman. Waar is het goud gebleven?' Even is het stil in de schuur.

'Marius, ik zweer je dat ik het niet weet,' zegt opa zachtjes.

'Die tas was leeg!' brult Veldkamp. 'Dat goud heeft niet ineens pootjes gekregen. Of wel soms?'

'Natuurlijk niet! Iemand heeft het eruit gehaald. Maar ík was het niet. Ik zweer het, Marius. Ik was het niet!'

Mus hoort Veldkamp zuchten. 'Denk nou eens na, Herman. Hoeveel mensen weten van het goud? Hoeveel mensen weten dat Weekhout een angsthaas is?'

'Wat wil je nou precies zeggen, Marius?' Opa klinkt kwaad. 'Wil je zeggen dat ik mijn eigen vrienden besteel? Wil je zeggen dat ik een verrader ben?' Het blijft angstig stil in de schuur.

'Ik wil alleen maar zeggen dat de dief een bekende is,' antwoordt Veldkamp zachtjes. 'Dat is alles. We moeten hem zo snel mogelijk ontmaskeren. Daarom roep ik iedereen vanavond bij elkaar.'

'Als je maar weet dat ik het niet ben.'

'We zullen zien, Herman. We zullen zien.' De beide mannen zwijgen. Veldkamp pakt zijn hoed van de werkbank en loopt naar buiten, vlak langs Mus. Zijn jas schuurt langs haar arm, maar hij ziet haar niet. Hij kijkt voor zich uit. Er ligt een glimlach om zijn lippen. Een nare glimlach. Het grind knarst onder zijn voeten als hij wegloopt.

Mus staart hem na. Hij denkt dat opa de dief is. Hij denkt dat echt. Hardeman heeft gelijk, de jagers zijn in paniek. Voorzichtig kijkt ze om het hoekje van de schuurdeur. Opa staart zwijgend door het raampje naar buiten. Zijn hoofd is rood en de ader in zijn slaap klopt. Hij is boos, ziet ze. Erg boos. En dan haalt hij ineens uit en slaat keihard met zijn vuist op de werkbank.

18   Vossenjacht

'Dus je wilt vanavond met Rick naar de kermis?'

'Ja,' antwoordt Mus. 'Dat mag toch wel? Het is tenslotte vakantie.'

Mama fronst haar wenkbrauwen. 'Dat weet ik wel, maar ik vind jullie eigenlijk nog te jong om 's avonds alleen naar de kermis te gaan.'

'Alsjeblieft?' Mus kijkt haar smekend aan.

'Je kunt goed met Rick opschieten, hè?' Mus knikt. 'Daar ben ik blij om. Het lijkt me ook een aardige jongen.' Mama zucht. 'Weet je wat? Ik vind het goed, maar niet langer dan een uurtje. Afgesproken?'

'Yes!' roept Mus blij.

Mama moet lachen.

Iets voor halfacht komt Rick naar De Oase. Hij heeft een rugzak bij zich en doet een beetje geheimzinnig. 'Ik moet je wat laten zien,' fluistert hij in haar oor.

Het is spitsuur in de keuken, dus Mus neemt hem mee naar haar kamer. 'Wat heb je toch allemaal bij je?' vraagt ze nieuwsgierig.

Rick leegt de inhoud van zijn rugzak op haar bed. Er ligt een verrekijker, een zaklamp, een computerspelletje en een babyfoon.

'Wat moeten we met een babyfoon?' vraagt Mus.

'Afluisteren!' roept Rick. 'Dat gaat prima. Let maar eens op.'

'Maar ... maar dan moet er toch een van de apparaten binnen zijn, in de kamer waar de jagers zitten?'

'Klopt,' antwoordt Rick.

'Hoe wil je bij Veldkamp binnenkomen?'

'Eitje,' zegt Rick. Als Mus hem met opgetrokken wenkbrauwen aankijkt, neemt Rick het computerspel van het bed. 'Met dit spel,' zegt hij met een grote grijns. 'Jan Veldkamp wil het dolgraag van me lenen.'

Om vijf voor acht zit Mus in de tuin van Veldkamp. Ze heeft zich tussen de coniferen verstopt.

Met de verrekijker kijkt ze de felverlichte woonkamer in. Alle jagers zijn er en ze hebben allemaal hun jachtgeweren meege-

nomen, ziet Mus. De gebroeders Vonk zitten naast elkaar op de bank met de geweren op hun schoot. Weekhout zit op een hoge eetkamerstoel en schuift zenuwachtig heen en weer. Opa zit in een lage stoel bij het raam. Zijn geweer leunt tegen de armleuning. Veldkamp schenkt koffie in.

Waar blijft Rick, nou? vraagt Mus zich ongeduldig af. Ze neemt de babyfoon die naast haar op de grond ligt en zet hem aan. Het lampje begint te branden, maar ze hoort nog niets. Mus kijkt door de verrekijker. De jagers drinken rustig van hun koffie. Veldkamp kijkt achterom.

'Daar is Rick,' fluistert Mus opgewonden. Haar hart begint sneller te kloppen. Rick loopt samen met Jan de woonkamer in. Jan heeft het computerspel in zijn hand en gaat enthousiast naar zijn vader om hem het spel te laten zien. Veldkamp kijkt er verstrooid naar en gebaart dan dat de jongens weg moeten gaan. Jan loopt als eerste de kamer uit. Mus let op Rick. Ze ziet hoe hij de babyfoon uit zijn jaszak haalt en vlak naast Weekhout in een grote bloempot stopt.

'Welkom vrienden!' klinkt het krakerig uit de babyfoon.

'Hij doet het,' fluistert Mus blij. 'Hij doet het.'

Door de verrekijker ziet ze dat Veldkamp een dikke sigaar opsteekt.

'Ik heb jullie bij elkaar geroepen voor een vossenjacht,' zegt hij.

'Een vossenjacht?' vraagt Weekhout verbaasd. 'Vanavond?'

'Ja,' antwoordt Veldkamp. Hij trekt aan zijn sigaar en blaast een lange sliert rook de kamer in. 'We zijn bestolen door een brutale vos. Een sluwe persoon. Vanavond lokken we hem in de val.'

'We hadden de politie moeten bellen. We hadden meteen de politie moeten bellen!' jammert Weekhout door de babyfoon.

'Rustig, Johannes!' zegt Veldkamp. 'Rustig. Toen we die tas met goud in het bosje vonden, hoorde ik je niet over de politie. Zo is het toch?' Mus zit ademloos te luisteren. Veldkamp kijkt de kring rond. 'Niemand in deze kamer wilde de politie bellen,' zegt hij nadrukkelijk.

'We waren op vossenjacht!' roept Weekhout. 'Het was hartstikke donker! We dachten dat we op een vos schoten ... Dat kunnen we toch tegen de politie zeggen?'

'Het is te laat, Johannes,' kraakt de stem van Veldkamp. 'We kunnen de politie niet meer bellen. Snap dat dan! We hebben het goud toch meegenomen? Als we de politie bellen, worden we opgepakt.' De babyfoon ruist.

'Maar we zijn toch geen moordenaars, Marius! We zijn geen moordenaars!' jammert Weekhout.

'Hou toch eens je kop!' Veldkamp schreeuwt zo hard dat de babyfoon een hoog, snerpend geluid maakt. Van schrik laat Mus de verrekijker vallen en drukt haar handen tegen haar oren. Op hetzelfde moment ziet ze de toppen van de coniferen heen en weer bewegen. Er komt iemand aan. Geschrokken duikt ze weg.

'Mus? Mus, waar zit je?' zegt een bekende stem.

'Rick?' fluistert Mus.

'Ja, ik ben het.' Ricks hoofd verschijnt tussen de coniferen.

'Gelukkig!' zucht Mus.

Rick gaat naast haar op de grond zitten. 'En? Kun je alles horen?' Mus knikt. 'Ik zei toch dat zo'n babyfoon prima afluisterapparatuur is.'

'Rick, de jagers hebben Buitinga betrapt toen hij het goud uit het bosje haalde,' zegt Mus opgewonden. 'Ze dachten dat hij een vos was. Ze hebben per ongeluk op hem geschoten.'

'Geweldig, Mus!' roept Rick enthousiast. 'Wat zal Hardeman opkijken als hij dit hoort.' De babyfoon begint weer te kraken.

'Ssst!' zegt Mus. Ze houdt haar wijsvinger voor haar mond.

'We lossen dit zaakje zelf op,' klinkt de zware stem van Veldkamp. 'Zonder de politie. Net als de vorige keer. Iemand bezwaren?' De babyfoon ruist zachtjes, maar het blijft stil.

Mus pakt de verrekijker van de grond en kijkt de woonkamer in. Veldkamp staat midden in de kamer en tipt de as van zijn sigaar. Weekhout zit diep weggedoken op zijn stoel. De andere mannen staren naar de vloer.

'Deze keer,' zegt Veldkamp langzaam, 'is de vos een van ons.'

De mannen kijken hem verbaasd aan, behalve opa. Hij blijft naar de vloer staren.

'Het kan niet anders of er moet een verrader onder ons zijn. Iemand die zijn eigen vrienden besteelt.'

'Ik ben onschuldig,' piept Weekhout. 'Ik heb het niet gedaan. Ik zou jullie nooit bestelen.'

'Dat weet ik, Johannes. Dat weet ik,' zegt Veldkamp sussend. 'Ik denk ook niet dat jij het gedaan hebt.' Veldkamp staart naar opa. Er ligt een merkwaardige grijns op zijn gezicht.

'Denk je dat Herman het gedaan heeft?' vraagt de stem van Jaap Vonk door de babyfoon.

'Herman wil ertussenuit knijpen,' zegt Veldkamp. 'Dat weet ik uit betrouwbare bron.' Hij kijkt opa uitdagend aan. Zijn sigaar houdt hij stevig tussen zijn lelijke tanden geklemd.

De mannen kijken nieuwsgierig naar opa, maar die beweegt

zich niet en hij blijft onverstoorbaar in de leunstoel zitten.

'Mijn vrouw zag Herman laatst bij het reisbureau in de stad,' gaat Veldkamp verder. 'Hij liep met een hele stapel folders onder zijn arm naar buiten. Toen ze hem begroette, deed hij net of hij haar niet kende en liep snel weg.' Veldkamp zwijgt. Er ligt een triomfantelijke blik in zijn ogen.

Mus slikt. Ze wil opa helpen, maar ze weet niet hoe. De babyfoon kraakt.

'Is dat zo, Herman? Was jij bij het reisbureau?' vraagt Weekhout.

'Dat klopt,' antwoordt opa rustig. 'Ik was bij het reisbureau. Maar het is niet zoals Marius denkt.' Mus hoort opa zuchten. 'Ik droom mijn hele leven al van een reis naar India ...' Opa zegt nog meer, maar het klinkt zo zachtjes dat Mus het niet kan verstaan. Ze grijpt de babyfoon en schudt hem heftig heen en weer.

'Niet doen!' zegt Rick. Hij trekt het apparaat uit haar handen. 'Zo gaat hij stuk. Hij praat gewoon te zacht.'

'Shit!' roept Mus. 'Ik wil zo graag horen wat hij zegt!' De tranen branden in haar ogen.

'Rustig, nou maar,' zegt Rick. 'Ik zet hem wel wat harder.' Hij draait aan een knopje aan de zijkant van de babyfoon.

'IK GELOOF HERMAN!' galmt de stem van Jaap keihard door de babyfoon.

'Ai!' roept Rick, en hij draait het geluid snel weer zachter.

'Hij heeft ons niet bestolen,' gaat Jaap verder. 'Ik geloof er niks van. Bovendien is Herman zijn goud ook kwijt. We zijn het allemaal kwijt. Behalve jij, Marius. Jij hebt het nog.'

'Ja, jij hebt het nog,' vult Joop aan.

'Wat willen jullie daarmee zeggen?' Veldkamps stem klinkt dreigend.

'Jij kunt het net zo goed gedaan hebben als Herman,' zegt Jaap Vonk langzaam.

De spanning in de woonkamer is om te snijden. Mus houdt haar adem in en kijkt gespannen naar Rick. De babyfoon ruist.

'Straks gaan ze nog op elkaar schieten,' fluistert Rick.

Mus kijkt door de verrekijker. Veldkamp legt zijn sigaar in de asbak en kijkt de kring rond.

'Zijn er nog meer mensen die mij verdenken?' vraagt hij langzaam.

'Kijk!' roept Rick. 'Daar beweegt iets!' Hij port Mus in haar zij.

Nu ziet Mus het ook. Midden op het gazon tussen de coniferen en de tuindeuren beweegt iets donkers. Het gaat recht op de jagers af.

'Het is een poes,' zegt Mus. 'Die is vast op zoek naar muizen.'

De poes loopt het terras op en de grote buitenlamp springt aan. Het hele terras baadt in een zee van licht. De jagers kijken verschrikt op.

'Wat krijgen we nou!' kraakt Veldkamp door de babyfoon. Hij grijpt zijn geweer en loopt naar de tuindeuren.

'Wegwezen!' roept Rick.

Mus springt overeind en propt de babyfoon in haar broekzak. Rick grijpt de verrekijker. Mus hoort de opgewonden stemmen van de jagers op het terras. Ze kijkt niet om, maar rent achter Rick aan. Ze rennen dwars door de kale bloembedden, rakelings langs de vijver en met een grote sprong over het tuinhek. Ze blijven rennen tot ze bij De Oase zijn.

'Dat scheelde niet veel,' hijgt Rick.

Mus leunt tegen de muur. Ze is buiten adem, voelt steken in haar zij en haar hart gaat wild tekeer.

'Gaat alles goed met je?' vraagt Rick bezorgd.

'Jaja,' stamelt Mus. 'Alles is goed. Missie geslaagd.' Ze perst er met moeite een glimlach uit.

'Ja,' zegt Rick. 'We waren goed, hè? Kom, dan bellen we meteen inspecteur Hardeman. Wat zal hij opkijken!'

Samen lopen ze De Oase in. Uit de eetzaal klinkt het geroezemoes van de gasten. De hal is leeg.

'Wacht jij hier maar even. Ik haal het telefoonnummer van het prikbord,' zegt Mus terwijl ze de keuken in loopt. Oma staat in een pan soep te roeren en mama snijdt brood. Ze kijkt op als Mus binnenkomt.

'En? Heb je het leuk gehad?'

'Ja, het was hartstikke leuk,' antwoordt Mus.

'Je hebt er een rode kleur van gekregen.' Mama kijkt haar glimlachend aan.

'Ja, ik heb ontzettende dorst,' zegt Mus. 'Ik neem nog even wat drinken.' Mama knikt en pakt een paar mandjes brood van het aanrecht, dan draait ze zich om en loopt ze naar de keukentafel. Mus grist snel het kaartje van het prikbord en stopt het in haar zak. Ze pakt twee blikjes limonade uit de koelkast en loopt terug naar de hal. Rick zit achter het bureau. Hij draait rondjes met de draaistoel.

'Gelukt?' vraagt hij.

Mus knikt. 'Voor jou,' zegt ze, en ze duwt een blikje limonade in zijn handen.

Rick staat op en Mus gaat achter het bureau zitten. Ze zet

het blikje limonade op het bureau en haalt het kaartje van de inspecteur uit haar zak. Daarna pakt ze de telefoon en toetst het nummer in. Rick trekt ondertussen zijn blikje open en neemt een flinke slok limonade.

'Hoofdbureau van de politie,' klinkt het aan de andere kant van de lijn. Het is dezelfde vrouwenstem als een paar dagen geleden.

'Hallo, met Mus Fonteijn. Is inspecteur Hardeman er ook?'

'Nee, het spijt me, maar de inspecteur is er vanavond niet. Ik kan je wel doorverbinden met iemand anders van de recherche.'

Mus aarzelt.

'Wat is er?' Rick kijkt haar vragend aan.

Mus legt haar hand op de telefoon. 'Hardeman is er niet,' fluistert ze.

'Shit!' roept Rick teleurgesteld.

'Wat doen we nu?' vraagt Mus. Rick haalt zijn schouders op. 'Ik vraag wel wanneer hij terugkomt.' Mus houdt de telefoon weer tegen haar oor. 'Mevrouw?'

'Ja?'

'Wanneer is de inspecteur terug?'

'Morgenvroeg.'

'Nou, dan bel ik morgen nog wel eens.'

'Weet je het zeker?' vraagt de vrouwenstem.

'Ja,' zegt Mus. 'Goedenavond.'

'Dat is pech,' zucht Rick. Mus knikt.

Dan gaat de keukendeur open en mama komt de hal in lopen. Snel stopt Mus het visitekaartje van de inspecteur in haar zak.

'Hé, Rick! Ben jij er ook nog? Waarom zitten jullie eigenlijk hier?'

'Het is hier lekker rustig,' antwoordt Mus.

Mama schudt haar hoofd. 'Zeg, Mus, het is bijna halftien. Als jullie de limonade op hebben, moet Rick naar huis. Afgesproken?' Mus knikt. Mama haalt een stapeltje menukaarten uit de dossierkast en loopt terug naar de keuken.

'Jammer dat de inspecteur er niet was.' Rick klinkt teleurgesteld.

'Ja,' zucht Mus. 'Nu moeten we wachten tot morgen. Denk je dat de jagers ons in de tuin van Veldkamp hebben gezien?'

Rick haalt zijn schouders op. 'Ik denk het niet. Het was veel te donker.' Hij drinkt zijn blikje limonade leeg en zet het op het bureau. 'Nou, dan ga ik maar eens naar huis.'

'Zullen we morgenvroeg weer hier afspreken?' vraagt Mus.

'Dat is goed, dan zie ik je morgen.' Rick loopt naar de glazen buitendeur en duwt hem open. Meteen stroomt koele avondlucht de hal in.

'Tot morgen!' roept Mus hem na. Rick steekt zijn hand op en verdwijnt in het donker. Mus drinkt haar blikje limonade leeg en gaat de trap op naar boven.

19   De ontvoering

Mus ligt met haar kleren aan op bed. Ze is te moe om ze uit te trekken. Maar ze is nog veel te opgewonden om al te gaan slapen.

Wat een avond, zucht ze in zichzelf. Hardeman zal trots op me zijn. Alleen jammer dat hij niet op het bureau was.

Dus opa is een dief, alle jagers zijn dieven. Ik durfde het niet te geloven, maar het is echt waar. Wat zou Hardeman morgen doen? Hen arresteren? Moet opa dan naar de gevangenis?

Mus huivert. Ze draait zich op haar zij en kijkt op de wekker. Pff, nog maar halfelf. Ze kijkt naar de tekeningen aan de muur en probeert aan iets leuks te denken. Aan de kermis. Ze heeft genoten van het ritje in het reuzenrad. Wat was Rick bang! denkt ze lacherig. En zo sukkelt ze langzaam in slaap.

Midden in de nacht wordt Mus wakker. Verward kijkt ze om zich heen. Ze ligt boven op haar dekbed en is stijf van de kou. Kreunend draait ze zich naar de wekker, die twee uur aanwijst.

Moeizaam staat ze op. Ze moet nodig plassen en loopt de gang in naar het toilet. Het is stil in huis. Iedereen slaapt. Maar als ze terug naar haar kamer loopt, hoort ze iemand zachtjes neuriën. Verbaasd blijft ze staan en kijkt om zich heen. Freddy's kamerdeur staat op een kier en er valt een smalle lichtstreep de gang in.

Haar hart begint sneller te kloppen. Freddy is nog wakker! Zachtjes sluipt ze naar zijn kamer en gluurt door de kier naar binnen. De adem stokt in haar keel. Ze kijkt op de rug van een man die voorovergebogen staat voor Freddy's wastafel. Een man met gitzwart haar dat in zijn nek plakt.

Dit ... dit kan niet waar zijn, denkt Mus. Willem Buitinga is toch dood? Ze voelt zich duizelig worden en grijpt zich vast aan de deur, die een krakend geluid maakt. Shit! vloekt Mus. De man gaat rechtop staan en kijkt in de spiegel. Twee felblauwe ogen ontmoeten die van haar. Mus snakt naar adem. Freddy, schiet het door haar heen.

'Kijk eens wie we daar hebben,' zegt Freddy rustig terwijl hij zich langzaam omdraait. 'Mus, wat een verrassing! Kom toch binnen.'

Schoorvoetend loopt ze naar binnen. In de kamer hangt de scherpe lucht van haarverf. De twee bruine koffers liggen op het bed.

'Dit is niet de eerste keer dat je in mijn kamer bent, niet-waar?' Freddy's stem klinkt nog steeds merkwaardig rustig. 'Doe de deur even achter je dicht, wil je?'

Mus doet wat hij zegt. Er is iets in zijn stem waardoor ze niet kan weigeren.

'Dus je komt afscheid van me nemen? Dat is lief. Lief, maar gevaarlijk. Ik heb je gewaarschuwd, Mus. Ik heb je gewaarschuwd.'

'Ga je op reis?' vraagt Mus. Haar stem klinkt hees.

Freddy kijkt haar lachend aan. 'Jij bent een slim meisje, Mus. Slimmer dan de rest hier. Jij houdt me al tijdje in de gaten, niet-waar?' Mus bloost terwijl hij naar het bed loopt en een van de koffers opendoet. De gouden horloges, armbanden en halskettingen schitteren in het licht van de lamp.

'Wist je van het goud?' durft Mus te vragen.

Freddy kijkt op. Zijn ogen fonkelen. 'Je blijft nieuwsgierig, hè?'

Mus antwoordt niet en wil wegkijken. Ze wil ontsnappen aan die felblauwe, hypnotiserende ogen, maar het lukt niet.

'Ik kwam hier omdat ik even de stad uit moest. Het werd me daar te heet onder de voeten.' Freddy kijkt haar spottend aan. 'Ik moest "op reis", zoals jij dat zo lief zegt. Dat ik Willem tegenkwam, was toeval. Een gelukkig toeval. Ik had geen idee dat die rat het goud hier in de buurt had verstopt.' Hij grijnst.

'Dus … dus jij kende Willem Buitinga?' vraagt Mus zachtjes. Haar mond voelt droog aan.

'Heel goed, Mus! Zo ken ik mijn meisje weer. Willem en ik waren vroeger … collega's.' Freddy zwijgt. Er ligt een bittere trek om zijn mond. Hij rommelt in de koffer en trekt het skelettenpak tevoorschijn.

Alles zat in de koffers, denkt Mus. Ik was er zo dichtbij. Als ik meer tijd had gehad, dan had ik het dagen geleden al ontdekt.

Freddy verscheurt het skelettenpak en loopt met twee repen stof naar haar toe. Mus wil wegrennen, maar ze kan niet. Ze kan zich niet bewegen. Freddy's hemelsblauwe ogen houden haar vast. Hij staat vlak voor haar en buigt zich naar voren. De scherpe geur van haarverf prikt in haar neus en de tranen springen in haar ogen.

'Jij gaat een stukje met mij mee,' fluistert Freddy in haar oor. 'Gezellig, hè?' Hij draait haar met een ruk om en bindt haar armen op haar rug. De andere lap knoopt hij voor haar mond. Mus proeft de gladde stof en voelt zich misselijk. En dan pas kan ze weer bewegen. Ze trapt naar Freddy en probeert zich los te wringen, maar hij grijpt haar stevig vast en trekt haar mee de gang op.

Mus schopt wild tegen de muur en schreeuwt zo hard ze kan, maar de lap stof smoort haar kreet. Niemand hoort haar. Iedereen slaapt rustig door. Freddy trekt haar hardhandig mee de trap af.

Als hij de buitendeur openduwt, rukt Mus zich los. Ze rent zo hard ze kan over het grindpad naar de weg. Freddy rent achter haar aan en ze voelt zijn hete adem in haar nek. Dan struikelt ze. Freddy trekt haar ruw overeind en sleurt haar mee naar de auto. Hij doet de kofferbak open en tilt haar erin. Met een harde klap slaat hij de klep dicht en draait hem op slot. Binnen is het aardedonker en het stinkt er naar benzine.

Wat gaat hij met me doen? vraagt Mus zich bang af. Haar ogen staan vol tranen en ze trilt over haar hele lijf. Ze is nog nooit zo bang geweest. Minutenlang ligt ze bevend in de kofferbak te wachten op wat komen gaat. Dan hoort ze Freddy's voetstappen over het grindpad dichterbij komen. De klep gaat open en Freddy legt de koffers naast haar.

'Let jij even op de koffers, liefje?' vraagt hij grijnzend. Hij slaat de klep weer dicht en Mus hoort hem in de auto stappen. Hij start de motor. Het grind knarst onder de autobanden als ze wegrijden.

Mus wordt heen en weer geschud in de achterbak, maar na een paar minuten stopt de auto al. Mus hoort Freddy uitstappen. Haar hart gaat wild tekeer als hij de kofferbak opendoet.

De koelcel

'Uitstappen, schoonheid.' Freddy trekt haar ruw uit de auto. Ze staan voor de slagerij van Veldkamp. Vlak naast het woonhuis.

Mus kijkt hoopvol naar de ramen, maar alle lichten zijn uit. Het is midden in de nacht. De vergadering van de jagers is allang afgelopen.

Freddy duwt haar voor zich uit naar de slagerij. Hij haalt een soort sleutel uit zijn zak en draait de deur met een zachte klik open. 'Jij doet precies wat ik zeg, begrepen?' Freddy kijkt haar met een ijskoude blik aan. Mus huivert wanneer hij haar mee naar binnen trekt.

Ze lopen naar de koelcel achter in de slagerij. Freddy maakt de klem los en duwt de zware deur open. Dan duwt hij Mus naar binnen. Het vriest in de koelcel. Mus voelt de kou onmiddellijk in haar kleren kruipen. Freddy knipt het licht aan en sluit de deur aan de binnenkant. Mus kreunt van afschuw. Overal om hen heen hangen rijen geslachte varkens en koeien aan grote vleeshaken. Onthoofde, bloederige kadavers.

Freddy kijkt haar aan en grinnikt. 'Ja, Mus, als je met mij op reis gaat, kom je nog eens ergens,' zegt hij spottend. Dan begint hij de ruimte te doorzoeken. Hij loopt langzaam langs de rijen geslachte dieren.

Hij zoekt het goud, schiet het Mus te binnen. Hij weet dat Veldkamp het hier verstopt heeft.

Bij het kadaver van een koe blijft hij staan en steekt zijn hand erin. Mus rilt van afschuw. Het liefst wil ze haar ogen dicht-doen, maar ze dwingt zichzelf te blijven kijken. Voorzichtig trekt Freddy zijn hand weer tevoorschijn. Hij houdt een plastic tas vast. *Slagerij Veldkamp. Hét adres voor vers vlees,* staat erop. De tas is halfvol. Mus ziet de gouden horloges en armbanden door het plastic heen schijnen.

Freddy kijkt in de tas en haalt er een gouden aapje uit. Mus herkent het meteen. Het is net zo'n aapje als in opa's sporttas zat en bij de gebroeders Vonk op het nachtkastje stond. Dit aapje houdt zijn pootjes voor zijn ogen.

Freddy glimlacht tevreden. 'Smakeloos, nietwaar?' zegt hij. 'Wie verstopt er nou een zak met goud in een dode koe?'

Mus zegt niets. Haar hart gaat wild tekeer. Ze is bang. Doods-bang. Ik moet ontsnappen, denkt ze. Ontsnappen voor het te laat is. Straks vermoordt hij me nog! Ze kijkt om zich heen en denkt koortsachtig na. Behalve de deur naar de slagerij, is er geen enkele uitgang.

'Mus, het spijt me verschrikkelijk, maar ik kan je niet ver-der meenemen. Jij blijft hier. Je moeder is een aantrekkelijke vrouw, maar het vaderschap is niets voor mij.'

Hij laat me hier alleen achter! schiet het door Mus heen. Hij laat me bevriezen in de koelcel! Wanneer Freddy met de plas-tic tas in zijn hand naar de deur loopt en hem openduwt, rent Mus in paniek naar hem toe en geeft hem een harde schop te-gen zijn rechterkuit. Precies op de plek van de hondenbeet.

'Au!' kreunt Freddy. Hij laat de plastic tas uit zijn handen vallen en grijpt naar zijn been. Het gouden aapje rolt over de vloer. 'Jij kleine heks!' sist hij.

Mus probeert langs hem heen naar buiten te rennen, maar

Freddy grijpt haar vast en smakt haar op de grond. Ze valt plat op haar buik op de stenen vloer. Alle adem verdwijnt uit haar longen. De tranen springen in haar ogen. Als een vis op het droge snakt ze naar adem. De lap stof duwt tegen haar keel en even wordt het zwart voor haar ogen.

Freddy komt dreigend boven haar staan en met een duivelse blik kijkt hij op haar neer. 'Je dacht dat je mij te slim af was, hè? Laat dit een les voor je zijn, Mus. Niemand is mij te slim af. Niemand.' Hij pakt de plastic tas van de vloer, grijpt het aapje en strompelt naar de deur.

'Waar denk je dat je naartoe gaat?' hoort Mus plots iemand vragen. 'Vuile schoft! Handen omhoog!'

'Opa?' mompelt ze verward. Mus kijkt achterom en ziet de loop van een jachtgeweer door de deuropening steken. Freddy wordt lijkbleek en doet zijn handen omhoog.

Opa komt langzaam de koelcel binnen lopen. Hij houdt zijn geweer op Freddy gericht. Even kijkt hij naar Mus, die nog steeds op de vloer ligt. 'Alles goed, Mus?' vraagt hij bezorgd.

'Ja ... ja ...' stamelt Mus. Haar woorden blijven hangen in de lap stof. Maar dat is niet erg. Niets is meer erg. Opa is er, denkt Mus opgelucht. Opa komt me redden. Een groot geluksgevoel stroomt door haar lichaam. Moeizaam krabbelt ze overeind. Alle botten in haar lijf doen zeer.

'Heb je hem, Herman?' klinkt de stem van Veldkamp uit de slagerij.

'Ja,' antwoordt opa. 'Ik heb hem. Bel meteen de politie.'

Een kwartiertje later zit Mus samen met opa op de bank in de woonkamer van Veldkamp. Ze legt haar hoofd tegen opa's dikke

buik en verbergt haar gezicht in zijn warme, wollen vest. Opa
heeft een arm om haar heen geslagen. Door de gordijnen ziet
Mus de blauwe knipperlichten van de politieauto. Ze rilt en
kruipt nog dichter tegen opa aan. Hij strijkt zachtjes door haar
haar.

'Opa?'

'Hmm?'

'Hoe heb je me gevonden?'

'Ik was hier al.'

'Hè?' zegt Mus verward.

'Ik zat hier op de bank en hield de wacht. Op de vergadering
hadden we afgesproken om om de beurt een nacht de wacht
te houden. Als de dief nog eens zou toeslaan, moest hij immers
hier zijn. Bij Veldkamp. Ik had net een rondje door de slagerij

gelopen en ging weer op de bank zitten, toen ik een auto hoorde stoppen. Even later hoorde ik de deur van de slagerij opengaan. Ik pakte mijn jachtgeweer en ging voorzichtig kijken. Er was niemand in de slagerij, maar ik zag een streep licht onder de deur van de koelcel. Ik had natuurlijk geen idee dat jij daar ook binnen was, anders had ik de koelcel eerder opengedaan. Ik wachtte, omdat ik de dader op heterdaad wilde betrappen. Met het goud in zijn handen.'

'Nou, dat is gelukt,' zucht Mus.

'Ja, gelukkig wel. Die Freddy! Wat een schoft! Weet je, Mus, ik heb hem nooit gemogen. Maar wat kon ik doen? Je moeder vond hem geweldig.' Opa schudt zijn hoofd en trekt Mus dichter tegen zich aan.

'Gaat het weer een beetje?' vraagt hij. Mus knikt en opa zucht diep. 'Ik ben blij dat er een eind is gekomen aan deze ellende. Het spijt me, Mus. Het spijt me verschrikkelijk dat jij erbij betrokken bent geraakt. Geld kan een mens verblinden ... Ik hoop dat je me kunt vergeven. Jij, je moeder en oma. Jullie drieën zijn mijn grootste schat. De Oase is ... De Oase is mijn eigen Taj Mahal. Dat ik dat nu pas zie ...' Hij zwijgt. Er blinken tranen in zijn ogen.

Mus drukt zich dichter tegen hem aan. En even later begint de haan van Veldkamp te kraaien. Het wordt ochtend. Het wordt eindelijk ochtend.

21 Een koorddanseres van porselein

In de dagen die volgen, wordt het dorp opnieuw overspoeld door journalisten, maar deze keer wil niemand met hen praten. De mensen trekken zich terug in hun huizen. Ze doen de gordijnen dicht en de deuren op slot. Ze willen in stilte de gebeurtenissen verwerken. Er is geen brood meer te koop en geen vlees meer te krijgen. Ook De Oase is dicht. Oma weigert soep te maken zolang opa wordt vastgehouden op het politiebureau.

Mama en oma huilen veel. Mus vraagt zich af of mama om opa huilt of om Freddy. Waarschijnlijk om allebei. Mus wordt droevig van al dat gehuil en trekt zich het liefst terug op haar kamer. Als het niet regent, klimt ze het dak op en loopt ze door de dakgoot. Het kost haar nu geen enkele moeite meer.

Na een paar dagen begint Mus zich te vervelen. Op een middag zit ze achter haar bureau en bladert uit pure verveling in de atlas. Ze zoekt Amerika op en Afrika en China. Plotseling wordt er op de deur geklopt.

'Mus?' Mus schrikt en slaat snel de atlas dicht. Mama doet de deur open. Achter haar staat Rick, met een plastic tas in zijn hand.

'Er is bezoek voor je,' zegt mama vriendelijk. 'Als jullie wat willen drinken, komen jullie wel naar beneden, hè?' Mama loopt weg als Mus knikt.

Rick stapt verlegen haar kamer in. 'Hoi,' zegt hij.

'Hoi,' antwoordt Mus.

117

'Wat ben je aan het doen?'

'O, niks.' Mus schuift de atlas verder van zich af.

'Hoe gaat het?' vraagt Rick.

Mus haalt haar schouders op. 'Gaat wel. Ik slaap veel.'

'Ik heb een cadeautje voor je.' Rick haalt een slordig ingepakt pakje uit de plastic tas. 'Hier. Ik heb het uit de winkel van Weekhout. Ik mocht van mevrouw Weekhout iets uitkiezen, omdat ik zo goed geholpen heb. En ik heb het zelf ingepakt.'

Mus pakt het cadeautje aan en haalt het papiertje eraf. Er zit een beeldje in van wit porselein. Het stelt een meisje voor. Ze staat op één been en houdt een parapluutje in haar hand.

'O, wat mooi!' zegt Mus.

Rick bloost. 'Ik vond het wel een beetje op een koorddanseres lijken,' zegt hij verlegen.

'Ja,' zegt Mus. 'Ja, het lijkt op een koorddanseres. Ik vind het prachtig. Dank je wel, Rick!' Ze loopt naar hem toe en geeft hem spontaan een zoen op zijn wang.

Rick wordt vuurrood, maar Mus ziet het niet, ze draait zich om en zet het beeldje voorzichtig naast de wekker op haar nachtkastje.

'Zo kan ik het altijd zien. Zullen we nu iets gaan drinken?'

Rick knikt en samen lopen ze de gang op en de trap af. Rick blijft de hele middag. Ze spelen spelletjes aan de keukentafel en voor het eerst sinds dagen is het weer gezellig in huis.

De volgende ochtend helpt Mus met het opvouwen van de was en andere huishoudelijke klusjes. 's Middags klimt ze op het dak en geniet ze van de herfstzon, die de bladeren van de appelboom nog feller geel kleurt.

Alles ziet er zo vredig uit, denkt ze. Het lijkt net of er niets naars is gebeurd. Hoe zou het met opa zijn? Het is vast geen pretje om zo lang op het politiebureau te zitten.

'Mag ik erbij komen zitten?' Mus kijkt geschrokken op. Het hoofd van inspecteur Hardeman steekt uit het slaapkamerraam. Zonder een antwoord af te wachten wurmt hij zich door het raam naar buiten en loopt over de pannen naar haar toe.

Hardeman gaat naast haar op het dak zitten en kijkt om zich heen. 'Wauw! Wat een prachtig uitzicht!' roept hij enthousiast. Mus volgt zijn blik. Langs de kerktoren en het bosje. Over de uitgestrekte weilanden naar de tuin, waar de gele blaadjes van de appelboom langzaam naar beneden dwarrelen.

'Hoe wist u dat ik hier was?' vraagt ze.

'Van Rick. Ik was net bij hem. Hij zei dat je graag op het dak zit.'

'Ja,' zegt Mus verlegen. 'Dit is mijn lievelingsplekje.'

Hardeman knikt. 'Dat begrijp ik. Het is hier fantastisch. Je krijgt trouwens de groeten van Rick. Het is een leuke jongen, die Rick. Echt een leuke jongen.'

Mus knikt terwijl Hardeman naar de horizon tuurt. 'Inspecteur?'

'Ja?'

Mus slikt en voelt haar bovenlip trillen als ze verder gaat. 'Inspecteur, moet opa naar de gevangenis?'

Hardeman kijkt haar met een grote glimlach aan. 'Nee, je opa hoeft niet naar de gevangenis. Ik ben speciaal hiernaartoe gekomen om jullie dat te vertellen. Hij krijgt een voorwaardelijke straf. Morgen komt hij weer naar huis.'

'Gelukkig!' zucht Mus. De tranen springen in haar ogen. Twee dikke, zoute tranen lopen langzaam over haar wangen naar beneden. En er volgen nog meer. Steeds meer tranen. Ze blijven maar stromen. Mus snapt er niets van.

'Geeft niks, meisje. Huil jij maar even,' zegt Hardeman. 'Huilen lucht op.' Hij haalt een grote zakdoek tevoorschijn en geeft hem aan Mus, die tegen zijn brede schouder leunt en haar tranen de vrije loop laat.

'Gaat het weer een beetje?' vraagt Hardeman na een tijdje. Mus knikt, snuit haar neus in de zakdoek en droogt haar tranen.

'Je opa heeft me deze week goed geholpen,' zegt de inspecteur. 'Hij heeft me alles verteld wat er gebeurd is. Vanaf de vossenjacht deze zomer tot aan het moment dat hij in de koelcel oog in oog stond met Freddy. Alle jagers hebben trouwens een verklaring afgelegd. Dat Freddy jou ontvoerd heeft, heeft ze wakker geschud. Ze hebben spijt van wat ze gedaan hebben. Je opa nog het meest.'

'En Freddy?' vraagt Mus.

'Freddy? Freddy heeft bekend dat hij Willem heeft vermoord.
Met je opa's jachtgeweer. Hij haalde de sleutel van de geweerkast uit je moeders bureaula. Hij wordt beschuldigd van moord,
diefstal en ontvoering. Daar staan zware straffen op, Mus. Freddy
zien we voorlopig niet terug.'

'Freddy kende Willem Buitinga,' zegt Mus.

Hardeman knikt. 'Freddy was de leider van de juwelenbende waar Buitinga ook lid van was. Freddy is trouwens niet zijn
echte naam.'

'O, nee?' vraagt Mus verbaasd.

'Eigenlijk heet hij Guus. Guus Ravenstein. In inbrekerskrin-
gen wordt hij Guus Geluk genoemd, omdat hij altijd aan de politie weet te ontsnappen. Toen de juwelenbende werd opgerold,
werd iedereen gearresteerd, behalve Guus. Hij wist als enige te
ontsnappen. Hij veranderde zijn naam en uiterlijk en liet een
vals paspoort maken. Een paar maanden geleden is hij de stad
ontvlucht en uiteindelijk is hij hier terechtgekomen. In De Oase.'

'Waarom heeft hij Willem eigenlijk vermoord?' vraagt Mus.

De inspecteur slaakt een diepe zucht. 'In de ogen van Freddy was Willem een verrader. Hij had een deel van de buit voor
zichzelf gehouden. Daarom heeft Freddy hem doodgeschoten.'
Mus rilt.

'Maar waarom stopte hij hem bij ons in de vriezer?'

'Freddy is een slimme vos, Mus. Hij wilde het goud, zodat
hij naar het buitenland kon vluchten. Hij wist alleen niet waar
de jagers het hadden verstopt. Door de politie op hen af te sturen, wilde hij ze bang maken. Hij rekende erop dat ze in paniek
zouden raken. Door ze goed in de gaten te houden, zouden ze
hem vanzelf naar het goud leiden.'

'Nou,' zucht Mus, 'zijn plannetje was bijna gelukt.'

'Ja,' zegt Hardeman, 'bijna.'

Het begint harder te waaien en de zon verdwijnt achter de wolken. Hardeman zet zijn kraag op. 'Kom, Mus. We gaan naar binnen. Als mijn neus me niet bedriegt, is je oma kippensoep aan het maken. Speciaal voor ons. Ik heb berenhonger.'

Mus moet lachen. Hardeman staat op en loopt voorzichtig over de pannen terug naar het slaapkamerraam. Mus loopt achter hem aan.

Net als ze voor het raam staat, ziet ze een vlucht ganzen hoog boven haar hoofd naar het zuiden vliegen. Ze gakken luid. Het duurt niet lang meer voor het winter is, denkt Mus. Dan klimt ze door het slaapkamerraam naar binnen.

MEIDEN AAN DE TOP!

Speelse verhalen boordevol avontuur en spanning. Voor meisjes vanaf 8 jaar.

LOLLi POP

Puck is het zat dat zij en haar vriendinnen gepest worden door de jongens op school. Als een van hen voor de zoveelste keer lastiggevallen wordt, besluit ze er iets aan te doen. Samen met Bloem, Amber en Lotte richt ze de Dappere Meidenclub op.

Het is de bedoeling dat de meisjes voor zichzelf leren opkomen. De vier vriendinnen maken een griezelkist, die ze om beurten voor elkaar verstoppen. Zo komen ze op de meest enge plekken. Elke keer voelen ze zich sterker. Maar wie zijn de onbekende chatters op het internet? En waar komen de gemaskerde schattenjagers op het kerkhof plots vandaan? Zijn de meisjes dapper genoeg voor de confrontatie?

Een avontuurlijk boek over vier meiden die niet meer met zich laten sollen. En dat zullen de jongens wel merken!

Zoals elk jaar in de lente boeken de ouders van Irena een reis voor de zomervakantie. Dit jaar gaan ze naar Esbjerg, een havenstad in Denemarken. Irena is in de wolken. Eindelijk maken ze eens een verre reis. Hoe meer ze over Esbjerg te weten komt, hoe liever Irena ernaartoe wil gaan. Voor de bergen bananenijs die ze in haar dromen ziet en de zoenende zeehonden die ze niet uit haar gedachten krijgt. Maar dan valt haar droomreis in het water. Het gaat niet goed met haar mama en haar ouders besluiten niet op vakantie te gaan in de zomer. Dat is het begin van een groot avontuur, want Irena wil haar plannen niet zomaar opgeven.

Een meeslepend verhaal over een meisje dat haar dromen achternagaat, zelfs als ze daarvoor haar ouders moet achterlaten.